LE COUP DU LAPIN

Chair de poule.

LE COUP DU LAPIN

R.L. STINE

Éditions
SCHOLASTIC

Catalogage avant publication de Bibliothèque
et Archives Canada

Stine, R. L.
Le coup du lapin / R.L. Stine;
texte français de Nathalie Vlatal.

(Chair de poule)
Traduction de : Bad Hare Day.
Pour les jeunes de 9 à 12 ans.
ISBN 0-439-95861-X

I. Vlatal, Nathalie II. Titre. III. Collection:
Stine, R. L. Chair de poule.

PZ23.S85Cou 2005   j813'.54   C2004-906124-0

La présente édition publiée en 2005 par les Éditions Scholastic,
175 Hillmount Road, Markham (Ontario) L6C 1Z7.

5 4 3 2 1   Imprimé au Canada   05 06 07 08

— Choisis une carte et regarde-la, ordonnai-je
à Susie Mailer. Mais ne me la montre pas!

Je venais d'étaler le jeu devant elle, face
cachée. Lorsqu'elle s'exécuta en gloussant de
plaisir, j'en fus très fier.

J'adorais faire des tours de magie, surtout
devant un public. Je rêvais de devenir un
grand magicien, comme mon idole, Magik-O.
Je m'appelle Timothée Saulnier, Tim pour
les intimes. Comme c'est trop banal, j'ai pensé
m'appeler « Swanz-O », mais mes amis disent
que ce nom ressemble trop à celui d'une marque
de produits surcongelés.

— Maintenant, dis-je à Susie, assez fort pour
être entendu de tout le monde, mets-la sur les
autres.

Elle obéit avec joie. Après avoir battu le jeu,
je frappai le paquet à trois reprises.

— Attention, je sors ta carte, annonçai-je en prenant celle du dessus. C'est la bonne?

— Le trois de pique! s'écria Susie, les yeux écarquillés. Oui, c'est ça!

— Comment as-tu fait? s'émerveilla Julien Brunet, ébahi.

— Les magiciens ne dévoilent jamais leurs secrets, répondis-je en rougissant de satisfaction. Et...

— Je sais comment il fait! hurla Marion.

Les cheveux se dressèrent sur ma tête. Elle venait de faire irruption dans la salle de classe où nous étions réunis. Le plus grand plaisir de Marion, ma peste de sœur, consiste à saboter mes tours.

Je lui servis mon plus beau sourire hypocrite :

— Mesdames et messieurs, je vous présente mon assistante.

— Je ne suis pas ton assistante, rétorqua-t-elle, méprisante. J'ai des occupations plus nobles que les tiennes. Je fais du karaté, moi!

Sa réflexion déclencha l'hilarité. Je me forçai à rire aussi, pour ne pas être ridicule.

Avec ses cheveux blonds et bouclés, son petit nez parfait et ses grands yeux bleus, Marion passe pour un ange. Peut-être parce qu'elle a dix ans et moi, douze. Ma mère a beau prétendre que mon âge est agréable, on ne m'accorde pas autant d'attention qu'à ma sœur. Mes cheveux châtain clair frisent comme la laine d'un mouton. Mes yeux noisette encadrent mon nez long... que ma sœur adore pincer.

Décidé à poursuivre ma démonstration, je glissai les cartes dans ma poche.

— Maintenant, vous allez voir... commençai-je en prenant mon foulard magique.

Marion en profita pour se faufiler jusqu'à moi. Rapide comme l'éclair, elle me déroba le jeu de cartes.

— Regardez! cria-t-elle en le montrant. Il n'y a que des trois de pique dans ce paquet!

— Donne-moi ça! hurlai-je, furieux.

Les spectateurs éclatèrent de rire. Marion avait dévoilé mon astuce.

— Tim, tu n'es qu'un tricheur! s'écria Susie, vexée.

— Non... ne partez pas! J'ai autre chose à vous montrer, suppliai-je pour attirer de nouveau leur attention.

Je sortis de mon sac deux grands anneaux argentés enchevêtrés l'un dans l'autre. Intrigué, le public retrouva peu à peu son calme.

— Comme vous pouvez le constater, il est impossible de défaire ces anneaux, déclarai-je en tirant dessus. Sauf si je prononce la formule magique. Abracadabri, abracadabra!

Je passai alors une main devant les anneaux, qui se séparèrent aussitôt sans difficulté. Des applaudissements chaleureux saluèrent ma prestation.

— Vous n'allez pas le croire? dit Marion d'un ton moqueur. Ces anneaux sont truqués...

— Je vais maintenant faire disparaître mon assistante! interrompis-je ma sœur en l'écartant.

— Arrête de me pousser! cria-t-elle.

Elle m'assena un coup de poing dans l'estomac qui m'arracha un cri. Il y eut quelques petits ricanements dans le public.

Ah! Marion et son karaté! Depuis que ma mère l'avait inscrite à des cours d'arts martiaux, ma vie était un enfer. Mon corps couvert de bleus était là pour le prouver!

— Si tu continues, la menaçai-je, je dirai à maman d'où vient le creux sur le frigo.

Cette petite peste avait frappé la porte du réfrigérateur parce qu'il ne restait plus de gâteau au chocolat! Surprise par ma colère, elle recula.

— Ne t'en fais pas, Marion ne te tapera plus, affirma Julien. Parce que le spectacle est terminé.

À peine s'était-il levé que les autres lui emboîtèrent le pas.

— Non, je n'ai pas fini! m'écriai-je. Revenez!

— À demain, fit Susie en quittant la pièce à son tour.

— Merci d'avoir tout gâché, Marion, explosai-je en me tournant vers ma sœur.

— Bing! répondit-elle en me pinçant le nez.

— Tu ne vas pas t'en tirer comme ça. Je vais tout raconter à maman!

— Vas-y, répliqua-t-elle en frappant l'air de ses deux bras et en accompagnant ses gestes de sons bizarres. Si tu oses, je te transforme en chair à pâté. Je t'attends à la maison... Swanz-O, ajouta-t-elle en sortant tranquillement de la salle.

J'étais en permanence à sa merci. Que pouvais-je faire? Elle se battait mieux que moi.

Voilà pourquoi je souhaitais devenir magicien. Pour la faire disparaître une fois pour toutes et avoir la paix!

Après avoir ramassé mes affaires, je me dirigeai vers l'escalier de l'école. Arrivé dehors, je soupirai en boutonnant mon blouson en jean.

Il était près de seize heures et il faisait froid. Le vent se levait. Quand ferait-il enfin chaud? On était déjà fin mars... Le printemps se faisait attendre.

J'étais plongé dans mes pensées lorsqu'une voix me fit sursauter.

— Salut! dit mon ami Fred.

Son véritable prénom est Frédéric. Il est trapu, porte des chemises qu'il boutonne de travers et ses cheveux bruns sont coupés en brosse.

— Tu es encore là? demandai-je.

— Oui, Mme Pratt m'a retenu après les cours, me confia-t-il en grimaçant.

Le pauvre Fred a des retenues presque chaque jour.

— Qu'est-ce que tu fais ici? s'étonna-t-il.

— Je testais de nouveaux tours, répondis-je tandis que nous descendions les marches. Mais Marion a dévoilé mes secrets. C'était un vrai désastre!

— La solution, c'est que tu t'améliores.

— Tu as raison, j'ai envie de passer à autre chose! À des tours de professionnel!

— Comme celui du lapin qui sort d'un chapeau? demanda-t-il.

— Oui, ou la grande malle noire de Magik-O, ajoutai-je. Je l'ai vu à la télévision, la semaine dernière. Dès que son assistante est entrée dedans, il a fait tourner la malle trois fois, et lorsqu'il a soulevé le couvercle, l'assistante avait disparu!

— Il paraît qu'il donne ce spectacle au Manoir Maxime, m'indiqua Fred.

Entendre le nom du théâtre de notre ville où se produisent les magiciens me rendit triste.

— Je sais, dis-je avec regret. J'aimerais bien y aller, mais c'est très cher.

Nous empruntâmes la rue Bank. Ce n'était pas le chemin pour rentrer chez nous, mais Fred savait où je voulais passer. À la boutique de magie! J'avais pris l'habitude de m'y arrêter au moins une fois par semaine pour admirer les nouveautés de M. Malik, le propriétaire.

— M. Malik a reçu une tonne d'accessoires, appris-je à mon ami. C'est Magik-O lui-même qui les a inventés.

— Ils doivent coûter une fortune, déclara Fred.

Je sortis alors de ma poche tout ce que je possédais : cinq dollars.

— Avec ça, tu pourras à peine te payer une fleur qui crache de l'eau! plaisanta Fred.

— Ça ne fait rien, on peut toujours jeter un coup d'œil, proposai-je en rangeant mon argent. Il paraît que M. Malik a aussi reçu une table géniale. Lorsqu'on y pose un objet, il s'élève et se met à flotter!

— Et tu connais le secret?

— Non, il refuse de me le révéler. À moins que je l'achète...

— Combien coûte la table?

— Elle coûte cinq cents dollars, répondis-je tranquillement.

— Je pense que tu devras te contenter de jeux de cartes, conclut Fred, impressionné par le prix.

Lorsque nous poussâmes la porte de la boutique, une clochette tinta. L'odeur habituelle de renfermé nous assaillit. Nous découvrîmes un fouillis constitué d'accessoires, de livres, de costumes jonchant le sol. Dans le fond, on pouvait apercevoir des tourterelles et des lapins. M. Malik vendait de tout!

— Bonjour, le saluai-je poliment.

Il se tenait derrière sa caisse enregistreuse. C'était un petit homme chauve, avec un gros ventre. J'attendis qu'il me lance son éternel : « Quoi de nouveau, Toto? »

— Bonjour, répétai-je en élevant la voix.

En guise de réponse, je n'eus droit qu'à un grognement sourd.

— Monsieur Malik? demanda Fred tandis que nous approchions du comptoir.

— Han! grogna le vieil homme en se penchant en avant.

Ce que je vis me glaça le sang. Une épée était plantée dans son ventre!

— Monsieur Malik, ça va? hasardai-je.

Tout à coup, je compris l'horrible vérité.

— Quelqu'un l'a poignardé! hurlai-je.

— Au secours, gémit-il, le visage déformé par la douleur. S'il vous plaît, à l'aide!

Fred et moi étions pétrifiés, trop effrayés pour esquisser un mouvement. Mon ami tremblait comme une feuille.

M. Malik laissa échapper une nouvelle plainte. Puis son expression changea peu à peu. Il empoigna l'arme et la retira très lentement de son corps…

— Ha! ha! Je vous ai bien eus! s'exclama-t-il. Elle est truquée! Je viens d'en recevoir un lot.

Il riait à gorge déployée, en frottant son ventre intact.

— Quoi de nouveau, Toto? ricana-t-il.

— C'est malin, lui reprochai-je en examinant une des épées.

La lame rentrait dans le manche quand on appuyait dessus. Elle ressortait dès qu'on relâchait la pression. C'était vraiment génial!

— Tu imagines les tours que tu pourrais jouer à Marion avec ça? s'exclama Fred.

— Tu la veux, Tim? me demanda M. Malik. Elle ne coûte que vingt dollars.

— Non, on regarde seulement, répondis-je en la reposant.

— Parfait. Mais j'aimerais que tu *achètes* quelque chose de temps en temps!

Ignorant cette réflexion habituelle, j'arpentais l'arrière-boutique remplie de portemanteaux sur lesquels pendaient des panoplies de magicien. Je choisis un veston bleu parsemé de brillants et l'enfilai. Une de ses manches était doublée pour servir de cachette. Tout en m'admirant dans un miroir, je fis semblant de m'annoncer :

— Voici l'extraordinaire, le fantastique, l'étonnant Swanz-O!

— Ce nom est vraiment ridicule, commenta Fred en secouant la tête.

— Tu as peut-être raison, répondis-je. Que penses-tu de Tim le Merveilleux?

— Ça passe. Il te faudrait plutôt un nom puissant, comme Tim l'Invincible.

— On dirait le nom d'un boxeur.

— En tout cas, c'est moins lourd que Tim le Merveilleux.

— Hé, les garçons! nous appela M. Malik en se dirigeant vers nous. Ça vous dirait d'assister au spectacle de Magik-O?

— Ce serait génial! m'écriai-je, enthousiaste.

Je pris les billets qu'il nous tendait. Il y était écrit : *Une soirée de magie avec le grand Magik-O, le 23 mars à 22 heures, Manoir Maxime. Valable pour une entrée.*

— Merci, monsieur Malik! Je n'y crois pas! Magik-O en personne! Demain soir...

— Demain soir? répéta Fred en examinant son billet. Je ne peux pas y aller, Tim. Mon oncle et ma tante sont invités chez nous. C'est la fête de ma mère.

— Et alors? C'est une chance unique! Ta mère a un anniversaire tous les ans!

Fred mit son billet dans ma main :

— Je la connais, elle ne comprendrait jamais. Et puis, on a de l'école le lendemain.

J'avais complètement oublié ce détail. C'est vrai, vingt-deux heures, ça faisait tard pour un soir de la semaine.

Il faut absolument que ma mère me permette

d'y aller, me dis-je. *Quelle mère empêcherait son fils d'aller voir son héros? Une mère sans cœur. Même si elle est parfois sévère, la mienne est loin d'être un monstre!*

Je retirai le veston bleu et le suspendis à un portemanteau. Une longue malle en bois venait d'attirer mon attention. Peinte en rouge avec des étoiles jaunes, elle avait la taille d'un cercueil. Je soulevai le couvercle.

— À quoi sert cette malle, monsieur Malik? demandai-je.

— À scier les gens en deux, répondit-il comme si c'était tout naturel.

J'eus beau examiner l'intérieur avec soin, je ne découvris aucun panneau secret.

— Comment ça fonctionne? insistai-je.

— Tu veux l'acheter? répliqua M. Malik avec un sourire malicieux.

— Euh… combien coûte-t-elle?

— Deux cinquante.

— Juste deux dollars et cinquante cents? m'exclamai-je. Je peux me l'offrir, alors!

— C'est ça! Deux dollars et cinquante cents, marmonna-t-il. Tu rêves?

— Il veut dire deux cent cinquante dollars, m'expliqua Fred.

— J'avais compris, bredouillai-je, essayant de
ne pas passer pour un idiot.

Je blaguais.

— Qu'est-ce que tu fabriques avec cette
machine, toi? demandai-je à Fred, qui se tenait
près d'un drôle de truc.

— C'est une guillotine… On met la tête là, et
une lame aussi tranchante qu'un rasoir tombe de
là-haut.

— Je ne vais pas tarder à fermer, nous
informa M. Malik.

— Je veux juste savoir comment ça marche,
déclara Fred en actionnant un levier.

— Fred… non! hurlai-je.

Trop tard! La lame glissa et s'abattit avec un
bruit sourd.

— Ma main! cria Fred. Ma main!

2

— J'appelle une ambulance, s'écria M. Malik
en se précipitant sur le téléphone.

C'était horrible, la guillotine avait tranché la
main de Fred.

— Aïe! hurlait-il, les yeux exorbités. Je ne
pourrai plus jamais écrire!

C'en était trop... J'éclatai de rire.

— Ce n'est pas drôle, gronda M. Malik.
Tu ne vois pas que c'est grave?

— Non, s'exclama Fred en agitant ses deux
mains. Vous n'auriez pas un chiffon pour que
j'essuie ce faux sang?

— Faux... faux sang? bredouilla M. Malik.

— On s'est bien vengés du coup de l'épée!
s'esclaffa mon ami.

M. Malik essuya la sueur qui coulait sur son
front :

— Quel idiot je suis! Je savais pourtant que

cette guillotine était truquée. Comment me suis-je laissé prendre?

— On ne peut pas penser à tout! fit remarquer Fred. En tout cas, c'était plus drôle que votre épée.

— Bon, ça suffit! ordonna le marchand en souriant à demi. Il est l'heure de rentrer chez vous. Sortez d'ici maintenant.

— Merci pour les billets, monsieur Malik, dis-je. À la semaine prochaine!

— C'est ça, c'est ça! À la semaine prochaine... quand j'aurai reçu de nouveaux accessoires que tu n'achèteras pas.

La clochette tinta lorsque nous franchîmes la porte de la boutique.

— Tu es certain de ne pas pouvoir venir au spectacle demain soir? demandai-je à mon ami tandis que nous marchions d'un pas rapide dans la rue Bank.

— Oui! Et je te signale que ta mère ne te laissera pas y aller non plus.

— Je trouverai un moyen! affirmai-je en m'arrêtant devant ma maison. Viens chez moi demain, après les cours. Je donnerai une autre démonstration de magie. Et cette fois, Marion ne la gâchera pas.

— D'accord.

— Et apporte le lapin de ta sœur, ajoutai-je.

— Heu... je ne pense pas que Claire appréciera beaucoup... bredouilla-t-il, soudain anxieux.

— S'il te plaît, Fred. Tu n'imagines pas le tour que je prépare!

— Je vais essayer. Mais si quelque chose arrive à son lapin, Claire va m'étriper.

— Il ne lui arrivera rien... je te le jure.

Sur cette promesse, je saluai mon ami et rentrai chez moi.

— Le Grand Swanzini est arrivé! annonçai-je en pénétrant dans la cuisine.

— Tu veux dire plutôt le Grand Idiot? se moqua Marion.

Je n'avais pas fait deux pas qu'elle se précipita pour me pincer le nez.

— Ça suffit, laisse-moi tranquille, grognai-je.

— Va te laver les mains, m'ordonna ma mère, qui préparait le souper.

— Attends, fis-je en montrant une pièce de vingt-cinq cents. Regarde.

D'un geste souple du poignet, je la fis glisser dans ma manche.

— Et voilà, triomphai-je. Mes deux mains sont vides!

— Très bien, dit-elle, fatiguée. Je vois surtout deux mains qui ont besoin d'être lavées.

— J'ai vu la pièce monter dans ta manche, lança Marion.

— Personne ne me comprend ici! m'exclamai-je. Vous allez voir, un jour, je vais devenir le plus grand magicien du monde!

Je filai à la salle de bains. Mes parents ne prenaient pas ma passion au sérieux. Ils la considéraient comme un vulgaire passe-temps. Bien entendu, pour le karaté de Marion, c'était tout le contraire!

De retour dans la cuisine, je pris place à table.

— J'ai eu une journée terrible, commença ma mère en découpant le poulet.

Elle était conseillère pédagogique dans une école.

— Michel Lambert s'est battu avec un garçon de sa classe, continua-t-elle. Son enseignant me l'a envoyé. Il est vraiment difficile. J'ai dû convoquer sa mère, qui l'a réprimandé...

Mon père, vendeur de voitures, enchaîna à son tour :

— Un client m'a pris toute la matinée. Il était intéressé par la nouvelle fourgonnette. Il l'a essayée... trois fois. Et pour finir, il est reparti sans l'acheter!

Je ne pus m'empêcher de soupirer : tous les soirs, ils se plaignaient de leur travail.

— Moi aussi, j'ai eu une journée difficile, renchérit Marion le plus sérieusement du monde. Denis m'a énervée et je lui ai donné un coup de karaté sur la jambe!

— Pauvre petite! fis-je, ironique.

— Tu n'es pas blessée au moins? s'inquiéta ma mère en plissant le front.

— Non, mais j'aurais pu l'être.

— Et moi! intervins-je. Elle m'a frappé dans l'estomac. Ça m'a fait mal!

— Tu n'as pas l'air trop blessé, constata mon père en souriant.

J'abandonnai. Face à Marion, je n'avais aucune chance. Ils prenaient toujours son parti.

— Je vais débarrasser le couvert, proposai-je lorsque le repas fut terminé.

Ce n'était pas innocent. Je me disais que ma mère serait peut-être de meilleure humeur.

Il fallait absolument que j'obtienne la permission d'aller au Manoir Maxime.

Et pour ça, j'étais prêt à tout.

3

Une fois debout, je ramassai les assiettes sales.

— Vous savez quoi? dis-je d'un air détaché. Magik-O donne une représentation au Manoir Maxime, demain soir. M. Malik m'a offert deux billets.

Je retins mon souffle, l'estomac noué. Qu'allaient-ils répondre?

— Super! s'exclama Marion. On va y aller ensemble!

— Ah non! rétorquai-je en déposant brutalement la vaisselle dans l'évier. N'importe qui sauf toi.

— Fais un peu attention, Tim, me dit ma mère.

Marion se glissa derrière moi et tenta de me prendre dans ses bras :

— S'il te plaît, Tim. Je suis ta petite sœur.

— Ni l'un ni l'autre n'ira, décréta calmement mon père. Il y a école le lendemain.

— Mais c'est gratuit! m'écriai-je. Magik-O est mon idole; je n'aurai plus l'occasion de le voir!

— À quelle heure commence ce spectacle? demanda ma mère.

— À vingt-deux heures, répondis-je.

— Vingt-deux heures! Il est hors de question que tu sortes aussi tard le soir.

— Maman... je t'en supplie, j'ai douze ans!

— Tu as compris ce que vient de dire ta mère? intervint mon père. Tu auras d'autres occasions de voir Magik-O, Tim. Ne t'inquiète pas.

Je sortis précipitamment de la cuisine.

J'en ai assez, pensai-je. *Une chance pareille ne se représentera jamais.*

J'entrai dans le garage où trônait la table de magie que j'étais en train de fabriquer. Elle était presque terminée. Carrée, elle m'arrivait à la taille. Le dessus comportait une ouverture qui donnait sur un compartiment secret où j'avais l'intention de cacher le lapin.

Il suffirait que j'appuie sur une pédale pour que le compartiment monte jusqu'au niveau du plateau. Et l'animal sortirait par l'ouverture, sur laquelle j'aurais posé un chapeau. Facile!

Ce tour de magie allait en étonner plus d'un le lendemain après-midi. Il serait aussi sensationnel que ceux de Magik-O.

Je retournai la table pour fixer le fond du compartiment. J'étais tellement absorbé par mes clous et mon marteau que je n'entendis pas la porte s'ouvrir.

Deux chaussures de course bleues apparurent dans mon champ de vision. Je n'eus pas besoin de regarder plus haut. J'aurais pu reconnaître les chaussures de ma sœur entre mille.

— Va-t'en! lui dis-je, même si je savais qu'elle n'en ferait rien.

— Tu prépares le coup du lapin? me demanda-t-elle.

— Tu verras bien. Va-t'en.

— Et le lapin, tu penses le trouver comment?

— Si tu continues, c'est toi que je vais transformer en lapin! répondis-je, exaspéré.

— Ha! ha! très drôle. Tu sais à quoi pourrait servir ta table? À faire mes exercices de karaté. Je parie que je pourrais la briser en deux d'une seule main.

— Essaie un peu, et je...

— Et tu...? me provoqua-t-elle, le corps tendu, en position d'attaque.

Que pouvais-je ajouter? Malheureusement, pas grand-chose.

— Tu l'auras cherché. Demain, tu seras un lapin, affirmai-je.

— Ah oui? Et comment vas-tu faire?

— Mystère! M. Malik m'a tout appris. Cette nuit, je mettrai mon plan à exécution pendant que tu dormiras.

— Que tu es bête!

— Peut-être que je ne le suis pas tant que ça! répliquai-je en reposant mon marteau et en remettant la table à l'endroit. On verra. J'espère que tu aimes les carottes.

— Tu es complètement fou, fit-elle en sortant précipitamment du garage.

Bon, pensai-je en ouvrant un pot de peinture bleue, *j'ai au moins réussi à m'en débarrasser. Ce serait vraiment génial si je réussissais cette transformation.*

Mais c'était impossible... N'est-ce pas?

— Le la-pin! Le la-pin! criait Marion.

C'était le lendemain. Ma sœur et sept copains étaient assis par terre, dans la cour. Jusque-là, ma sœur avait été calme. Mais voilà qu'au milieu de mon spectacle, elle me créait des difficultés. Elle savait très bien que je n'avais pas ce lapin. J'attendais toujours l'arrivée de Fred. Où était-il? Cet imbécile était en train de tout gâcher.

— Le la-pin! Le la-pin! se mit à scander aussi le public.

— Ça vient, ça vient, leur dis-je pour les faire patienter. D'abord, je vais faire sortir une pièce de monnaie de l'oreille de Marion…

— Non, s'écrièrent-ils tous en chœur.

— On veut un combat de karaté! lança Susie. Marion contre Tim.

Les choses se gâtaient. Je m'apprêtais à leur répondre quand j'aperçus Fred qui arrivait en me faisant de grands signes.

— Entracte! annonçai-je. Nous reprenons dans deux minutes.

Je me précipitai vers mon ami, qui portait une grande boîte.

— Pourquoi es-tu aussi en retard? chuchotai-je, énervé.

— Je suis désolé, s'excusa-t-il. J'ai presque dû l'arracher des mains de ma sœur.

J'ouvris la boîte. Le gros lapin blanc de Claire leva le nez et renifla mon odeur. Je le pris et le plaçai sous mon blouson.

— Attention, m'avertit Fred. S'il lui arrive malheur, elle me réduira en bouillie.

— Ne t'inquiète pas! Il est entre bonnes mains, le rassurai-je.

J'allai vite vers ma table magique. Tournant le dos aux spectateurs, je glissai l'animal dans le compartiment secret et plaçai mon chapeau de magicien sur l'ouverture.

— Mesdames et messieurs, annonçai-je. Merci d'avoir été patients. Voici le moment que vous attendiez...

— Le combat de karaté? lança Marion.

— Mieux que ça! Moi, le Grand Timotini, je vais faire sortir un lapin de mon chapeau!

— Le Grand Timotini? fit Marion, moqueuse.

— Bon, silence maintenant! ordonnai-je. Il faut que je me concentre.

À ma grande surprise, tout le monde se tut, même ma sœur.

— Comme vous pouvez le constater, ce banal chapeau est vide, déclarai-je en le tournant dans tous les sens. Susie, veux-tu vérifier qu'il n'y a rien dedans, s'il te plaît?

— Il n'a rien de particulier, conclut-elle après l'avoir inspecté.

Je le replaçai sur le trou que j'avais pris soin de cacher avec ma cape.

— Merci, et maintenant... regardez bien.

Tout en prononçant ma formule magique, j'appuyai sur la pédale. Le regard fier, je soulevai mon chapeau d'un geste majestueux.

Il n'y avait... rien. Il était vide. Et dans le compartiment secret... il n'y avait pas de lapin non plus.

Mon cœur se mit à battre. Où était-il?

— Le lapin! m'écriai-je. Il a disparu!

5

— Qu'est-ce qui s'est passé? demandai-je, horrifié.

— Il est là… là, cria soudain ma sœur en désignant l'autre côté de la cour.

Je me retournai et aperçus le lapin de Claire qui s'éloignait en sautillant.

Comment cela a-t-il pu arriver? pensai-je en jetant un coup d'œil dans le compartiment secret. *J'ai dû mal le refermer. Comment ai-je pu être aussi bête?*

— Tim… tu m'avais promis! hurla Fred. Vas-y, attrape-le!

Je courus derrière l'animal, suivi des autres. Le lapin était déjà arrivé dans le jardin des voisins. Il s'arrêta devant un buisson. Je bondis sur lui… mais il m'échappa et sautilla plus loin.

— Attention, il se dirige vers le ruisseau! nous avertit Marion.

Un petit cours d'eau boueux coule derrière les maisons de notre rue. Le lapin sauta derrière les arbres qui cachent le cours d'eau.

Au comble de l'excitation, ma sœur nous entraîna à sa poursuite.

— Arrêtez, ordonnai-je, vous allez l'effrayer!

Mais personne ne m'écouta. Il fallait que je m'en occupe moi-même si je voulais que tout se termine bien!

— Ne le laisse pas sauter dans l'eau! m'avertit Fred. Il va se noyer!

— Il ne se noiera pas, répliquai-je. Ce ruisseau n'a que deux centimètres de profondeur.

— Attrape-le, insista mon ami, complètement paniqué.

Sa sœur l'avait sûrement menacé des pires représailles s'il arrivait malheur à son lapin.

Ce dernier sauta dans la boue et se retrouva dans la cour des Denault. Je bousculai mes amis, leur ordonnant de ne pas bouger.

Dès que je me retrouvai face au lapin, il s'arrêta, les oreilles frémissantes. Je me mis à quatre pattes pour m'approcher de lui. Je compris alors pourquoi il s'était figé. Il faisait face à Boubou, le chat des Denault, prêt à se précipiter sur lui. Il était coincé entre lui et nous!

J'avançai un peu plus…

— Attention au chat! hurla Fred.

Un miaulement retentit, faisant sursauter le lapin, qui m'échappa.

La course reprit.

— Tu as tout fait rater! reprochai-je à Fred.

— C'est toi qui l'as laissé s'enfuir! rétorqua-t-il.

— Eh! Regardez Marion! cria Susie.

Ma sœur nous avait devancés. Elle s'élança vers le lapin et sauta dans les airs en poussant un de ses fameux cris de karaté.

— Ya, hi, ha!

Elle retomba devant le lapin, qui tenta vainement de changer de direction. Trop tard! Marion l'avait attrapé et le brandissait comme un trophée.

— Je l'ai! hurla-t-elle.

— Bravo! applaudirent les autres en la rejoignant.

— Ne le lâche surtout pas! recommanda Fred.

Il se précipita vers elle et s'empara du lapin.

— C'était un très bon tour, Tim, se moqua Julien en me donnant une grande claque dans le dos. Tu as presque réussi à le faire disparaître!

Sa plaisanterie déclencha, bien entendu, un

éclat de rire général.

— Tu devrais changer de nom d'artiste. Choisis plutôt « Tim le gaffeur », ajouta-t-il.

Quelle malchance! Ma représentation venait encore de tourner au désastre!

— Quand je pense que tu as failli perdre le lapin de ma sœur! grommela Fred.

— Je suis désolé, m'excusai-je. Je ferai plus attention la prochaine fois.

— Il n'y aura pas de prochaine fois! Tu n'as qu'à t'en acheter un.

Sans plus attendre, il retourna vers la maison et remis la bête tremblante dans la boîte de carton.

— Vous venez chez moi? proposa Julien. J'ai un supertour à vous montrer. C'est celui du chien qui disparaît. Je détache sa laisse et... il s'enfuit!

Tout le monde éclata de rire.

— On y va? me demanda Marion, ironique.

— Non, je rentre pour prendre une collation.

— Tu devrais faire tes tours à l'intérieur de la maison, suggéra malicieusement ma sœur. Comme ça, tes accessoires ne t'échapperaient plus!

— Très drôle, grondai-je. Tu riras moins lorsque tu seras transformée en lapin! D'ailleurs je ne pense pas que les lapins rient...

— Oh! fit-elle en roulant les yeux. Que j'ai peur!

— Tu ferais bien d'y croire un peu plus, lui chuchotai-je dans le creux de l'oreille. C'est aujourd'hui, le grand soir. Quand tu seras endormie, je te jetterai mon sort. Et si jamais tu essaies de te sauver, le chat des Denault ne fera qu'une bouchée de toi.

Ma sœur tendit la main, me pinça le nez et courut retrouver nos amis chez Julien.

Je dois trouver de meilleurs trucs de magie, pensai-je en poussant la porte d'entrée. *Et de meilleurs accessoires. Comme ça, je pourrai exécuter des tours fantastiques.* La boutique de M. Malik me vint immédiatement à l'esprit.

Si seulement je possédais quelques-uns de ses articles, me dis-je. *Je réussirais un spectacle extraordinaire.*

Il fallait absolument que je me les procure. Mais comment?

Ce soir-là, tout le monde se coucha très tôt. Mon père et ma mère étaient exténués après leur journée de travail.

— Au lit, avait annoncé ma mère. Moi, je n'en

peux plus.

Je restai étendu dans le noir, sans parvenir à m'endormir. Magik-O, mon héros préféré, allait se produire près de chez moi. Je ne pouvais pas manquer ça, c'était impossible! Comment allais-je devenir un grand magicien sans m'inspirer de ce génie?

Une pensée espiègle se glissa alors dans mon esprit. Après tout, il n'y avait pas de raison que je manque ce spectacle. Puisque j'avais les billets, je pouvais très bien me rendre au Manoir Maxime à bicyclette. Je ne serais absent de la maison que deux ou trois heures tout au plus! Mon père et ma mère ne s'apercevraient de rien.

Je regardai l'heure. Il était déjà vingt et une heures. La séance devait commencer dans une heure. J'avais le temps!

Je ne tenais plus en place... Oui, il fallait que j'y aille.

Je quittai mon lit en évitant de faire grincer le sommier. Je sortis doucement un jean et une chemise du tiroir de la commode.

Mes chaussures à la main, j'ouvris la porte délicatement. Lorsque j'entendis distinctement les ronflements de mon père, je ne pus pas m'empêcher de sourire. Mes parents dormaient

à poings fermés! Pieds nus sur le tapis,
je m'approchai de l'escalier, à pas de loup.

Qu'est-ce que je suis en train de faire? me
demandai-je, soudain nerveux.

J'allais affronter la nuit, tout seul... jusqu'au
Manoir Maxime.

6

J'étais prêt à tout pour assister au spectacle de Magik-O. Il en valait la peine. D'ailleurs, que pouvait-il m'arriver de terrible? Que mon père et ma mère découvrent mon absence? Et après? Ils me priveraient de sorties, mais j'aurais vu mon idole. Et pendant que je serais enfermé à la maison, je pourrais m'exercer à de nouveaux tours de magie.

Mais toutes ces suppositions ne servaient à rien puisque je savais que je ne me ferais pas prendre. Je m'arrêtai un instant en haut de l'escalier : je sentis mon estomac se nouer. Il faut dire que les marches sont particulièrement bruyantes.

Une fois, j'étais descendu sur la pointe des pieds regarder ce que le Père Noël m'avait apporté. J'avais à peine eu le temps de poser mon pied sur la première marche que... *CRAC!*

Maman m'avait surpris avant que j'aie pu atteindre la deuxième.

Cette fois, me dis-je, *personne ne m'entendra.* Je pris appui sur la rampe et commençai à descendre. Soudain, j'entendis un bruit suspect, à peine perceptible.

Mon cœur se mit à battre dans ma poitrine. Non, ce n'était rien!

J'attaquai la deuxième marche. Parfait, jusque-là, mon plan se déroulait à merveille. La troisième marche grinça très légèrement. Je restai figé sur place. Rien ne bougea dans la maison. Tout le monde dormait profondément.

Si Magik-O savait tout le mal que je me donne pour le rencontrer! pensai-je. *Je dois sûrement être son admirateur le plus fidèle.*

Parvenu au rez-de-chaussée, je poussai un soupir de soulagement.

Je suis sauvé maintenant, me dis-je, *mais il vaut mieux que je mette mes chaussures dehors. J'attrape ma bicyclette et j'y vais.*

Je traversai l'entrée et atteignis enfin la poignée de la porte, que je tournai lentement. J'y étais presque, lorsqu'une voix me demanda :

— Tim, où crois-tu aller comme ça?

7

Je me retournai d'un seul coup : Marion!

Elle était vêtue d'un jean et d'un chandail, prête à sortir.

— Qu'est-ce que tu fais debout à cette heure-là? chuchotai-je.

— J'attendais que tu viennes me transformer en lapin dans ma chambre, répondit-elle. Ou que tu fasses semblant, je ne sais pas.

— Je n'ai pas l'intention de faire ça ce soir. Retourne te coucher.

— Et toi, que fais-tu debout? Où vas-tu?

— Euh... dans le garage, prétextai-je. Je vais répéter un de mes numéros.

— Menteur! Tu vas au Manoir Maxime, je le sais très bien!

— C'est vrai, tu as raison, avouai-je en la saisissant par les épaules. Mais ne dis rien à papa et maman. Promets-le-moi!

— Je veux venir, moi aussi, insista-t-elle. S'il te plaît.

— Il n'en est pas question! Retourne au lit… et ne dis rien!

— Tu m'emmènes ou je monte réveiller papa et maman. Et tu pourras dire adieu à Magik-O.

— Tu ne ferais pas ça!

— Oh oui! répondit-elle.

Malheureusement, je savais qu'elle en était tout à fait capable.

— D'accord, cédai-je. Mais tu suivras mes instructions à la lettre!

— Peut-être que oui, peut-être que non… me nargua-t-elle.

J'étais donc obligé d'emmener avec moi la plus détestable des sœurs. D'un autre côté, la situation présentait un avantage. Embarquée dans la même galère, Marion ne pourrait pas vendre la mèche.

— Alors, on y va, chuchotai-je.

Après avoir sorti nos bicyclettes du garage, nous pédalâmes doucement.

C'était étrange de descendre la rue Bank à cette heure. Les magasins étaient fermés et plongés dans l'obscurité. Plus aucune automobile ne circulait.

Soudain, une voiture de police surgit au bout de la rue. Oh non! Elle effectuait sa ronde habituelle dans le secteur. Si ses occupants nous apercevaient, ils nous ramèneraient sûrement à la maison, et là... c'étaient les problèmes assurés.

Je cherchai rapidement un endroit où nous cacher. Les agents allaient nous repérer, avec ces lampadaires à tous les dix mètres.

— Marion, dis-je. Dépêche-toi, viens par ici!

Je sautai de ma bicyclette et me glissai sous l'auvent d'une boutique, dans l'obscurité.

Je retins mon souffle. L'auto passa tout près, balaya nos ombres avec ses phares, puis s'arrêta juste devant nous.

— Zut! Ils nous ont vus, chuchota Marion. Vite, courons!

— Tu es folle, dis-je en la retenant par la manche.

Le véhicule s'était immobilisé, mais le conducteur ne bougeait pas.

— Regarde, il y a un feu rouge, murmurai-je. Il passe au vert.

— Ouf! dit-elle, soulagée, en voyant la voiture démarrer.

Dès qu'elle eut tourné au coin de la rue, nous montâmes sur nos vélos.

Le Manoir Maxime était impressionnant avec sa silhouette sombre et imposante. La rumeur prétend qu'une folle a habité ce bâtiment, seule, pendant quarante ans. Elle possédait une cinquantaine de chats. Elle était très riche, mais si avare qu'elle était vêtue de guenilles et ne se nourrissait que de beurre d'arachides, qu'elle mangeait directement du pot. Lorsque les gens approchaient trop près de chez elle, elle hurlait des injures et lançait des pierres.

Quand elle était morte, un homme d'affaires avait acheté sa maison pour une bouchée de pain et l'avait transformée en théâtre.

C'est vrai, cette bâtisse est lugubre. On dirait un vieux château de pierres noires. Haute de trois étages, elle possède deux tours et est recouverte de vigne sauvage qui grimpe jusqu'au toit. Ce soir-là, la lumière d'un lampadaire y dessinait des ombres inquiétantes.

J'étais passé une centaine de fois devant sans trop avoir peur. Mais à cette heure, elle semblait plus menaçante que d'habitude. J'eus même l'impression que des chauves-souris volaient au-dessus de nos têtes.

— Pas surprenant que la femme soit devenue folle... chuchota Marion.

— Tu crois qu'elle gardait des prisonniers dans les tours? demandai-je.

— Oui, et elle avait une salle de tortures au sous-sol, plaisanta ma sœur.

Nous avançâmes jusqu'à l'entrée. Les spectateurs se pressaient. Trois messieurs enveloppés dans de grandes capes noires nous dépassèrent. Une femme étrange, avec une longue chevelure, aux lèvres et aux ongles noirs, me sourit.

— D'où ils sortent, tous ces gens bizarres? s'inquiéta Marion.

— Entrons, dis-je en haussant les épaules. Le spectacle va bientôt commencer.

Nous attachâmes nos vélos à un poteau et courûmes vers le grand escalier de pierre. Nous entrâmes enfin dans le hall éclairé par un lustre en cristal. Nous le traversâmes pour nous retrouver devant une porte couverte d'une lourde tenture rouge. Un homme grand et maigre, portant un long veston noir, se tenait là. Il nous arrêta en pointant sur nous un index tordu.

— Vos billets, dit-il d'une voix sifflante.

Je les tirai de ma poche tout en l'observant. Il avait l'allure d'un squelette : chauve avec un cou démesurément long et maigre, et des orbites creuses, cernées.

— Très bien, murmura-t-il. Et où sont vos parents? Je ne peux pas laisser passer des enfants non accompagnés.

Nos parents? Il faut vite trouver quelque chose, me dis-je. *Impossible de lui avouer qu'ils sont en train de dormir à la maison.*

— Euh… nos parents. Eh bien, ils… sont dehors, affirmai-je. Comme ils stationnent la voiture, ils nous ont demandé de nous occuper des places.

Ses yeux sombres semblèrent transpercer mon cerveau. Allait-il me croire?

— Je n'aime pas ça. Mais allez-y, dit-il en écartant la tenture afin de dégager la porte.

Il nous désigna des sièges juste devant la scène.

— Parfait, dis-je à Marion. L'emplacement est génial.

— C'est excitant! s'exclama-t-elle. Je n'arrive pas à croire que nous sommes ici.

L'homme en noir continuait de nous regarder, comme s'il nous surveillait.

— On ne va pas pouvoir rester jusqu'à la fin, chuchotai-je. Ce squelette ambulant ne nous lâche pas des yeux. Lorsqu'il se rendra compte…

— Chut! Ça va commencer.

Une voix retentit dans le haut-parleur :

— Mesdames et messieurs! Le Manoir Maxime est heureux de vous présenter le plus fantastique des magiciens. Le fabuleux, le merveilleux, le saisissant Magik-O!

Un roulement de tambour et des sons de trompette marquèrent le début du spectacle. Le public se mit à applaudir et à crier. Le rideau se leva.

Je sursautai en découvrant d'incroyables accessoires. Un long coffre noir percé d'une porte se dressait au milieu de la scène. Une plate-forme pendait du plafond. Une boîte brillante avec des trous pour laisser passer la tête, les bras et les jambes était posée sur des tréteaux. Un gros lapin blanc était installé près d'un vase rempli de fleurs bleues, sur une table recouverte d'un large carré de soie rouge.

— Je me demande comment il fait pour que son lapin ne s'enfuie pas, dit Marion. Tu devrais bien regarder et prendre des notes.

— Ce que tu es drôle! Arrête, je n'en peux plus, ironisai-je.

— Tu as toujours autant d'humour, Tim. C'est ça, ton problème!

— Non, c'est toi, mon problème!

L'arrivée de Magik-O mit fin à notre dispute.
Il venait de s'avancer sur le devant de la scène.
Vêtu de noir, il était mince et avait de longs
cheveux gris. Son chapeau haut-de-forme le
faisait paraître encore plus grand. Une cape
doublée de satin rouge recouvrait son veston.
D'un geste lent, il en écarta les pans sur ses
épaules et salua le public.

Mon cœur se mit à battre à toute allure.
Magik-O était si proche de moi que je pouvais
presque le toucher. *Je vais pénétrer dans son
monde!* me dis-je, tout excité.

Sans un mot, le magicien promena ses yeux
sur l'assistance. Soudain, son regard s'arrêta sur
moi. Je me mis à trembler comme une feuille.

Magik-O fit un pas et s'inclina. *Que fait-il? Va-
t-il me parler?* Son visage était presque collé au
mien! Je m'enfonçai dans mon siège.

Il s'accroupit et murmura d'une voix
menaçante :

— Disparais! Disparais!

Je me fis plus petit dans mon fauteuil.

— Disparais! répéta Magik-O.

— Pardon? fis-je en le dévisageant.

À la télévision, il semblait très sympathique.
Mais dans la réalité, il était terrifiant.

— J'ai dit que je vais te faire disparaître,
murmura-t-il. Je vais demander un volontaire
à la fin du spectacle... et je te choisirai, toi.

Ouf! Il voulait juste me faire participer à sa
représentation!

Je pourrai peut-être lui parler après la séance,
pensai-je, tout fier. *Il va peut-être me confier
quelques secrets!*

Marion pencha sa tête vers moi.

— Il va te désintégrer, me taquina-t-elle.
Qu'est-ce que je vais dire à papa et maman?

C'était incroyable! Voir Magik-O était déjà
fantastique, mais qu'il me désigne comme

partenaire... c'était trop génial!

Avait-il deviné que j'étais aussi magicien?

Je n'eus pas le temps d'approfondir cette question. Magik-O commença son numéro.

— Mesdames et messieurs, déclama-t-il. Ce soir, vous allez assister à d'étonnants exploits. Vous allez me voir accomplir des choses que vous aviez toujours jugées impossibles. Tours d'adresse ou illusion? Ce sera à vous de décider.

Il agita les mains et une baguette apparut comme par enchantement entre ses doigts. Les spectateurs applaudirent.

Magik-O parut alors ennuyé.

— Ce chapeau est très embêtant, commença-t-il en l'enlevant. On dirait...

Il en inspecta l'intérieur, mais n'y trouva apparemment rien.

— C'est bizarre, dit-il, l'air malicieux, en le replaçant sur sa tête. Pendant un moment, j'ai cru que... je ne sais pas... qu'une nuée d'oiseaux s'y débattaient.

Le haut-de-forme se mit alors à valser.

— Voilà que ça recommence! s'écria le magicien.

Il le retira et le vérifia de nouveau. Sur ses cheveux reposait une plume blanche. L'assistance se mit à rire.

— Qu'y a-t-il de si drôle? s'étonna Magik-O en se passant la main sur le crâne.

Le public rit encore plus.

— D'où cela peut-il venir? continua mon idole en brandissant la plume. Eh bien, je ne vais pas me laisser distraire par des détails aussi insignifiants. Reprenons...

Le chapeau recommença à trembler tout doucement. Puis il se mit à faire de véritables bonds sur la tête de Magik-O, qui prit un air horrifié.

Il s'en empara d'un mouvement brusque. Aussitôt, des tourterelles s'en échappèrent et s'éparpillèrent à travers la salle pour se poser sur les poutres.

— Ah, je savais bien que quelque chose clochait, plaisanta-t-il.

Les rires et les applaudissements fusaient de toutes parts.

Il est génial, pensai-je en frappant dans mes mains. *Comment a-t-il fait?*

Je jetai machinalement un coup d'œil sur le lapin. Assis à sa place, il regardait son maître et semblait tout comprendre. J'avais hâte que son numéro arrive!

— Maintenant, j'ai besoin de ceci, annonça Magik-O.

Plongeant la main dans une poche, il en sortit un paquet qui contenait une vingtaine de grosses aiguilles piquées dans un bout de carton.

Il en attrapa une et se mit à loucher en essayant de passer un fil épais dans le trou.

— Je n'arrive jamais à le faire, confia-t-il en baissant les bras.

Il essaya de nouveau, mais sans plus de succès.

— C'est impossible! s'exclama-t-il, énervé. Comment font les couturiers?

Le public pouffa de rire. J'étais impatient de découvrir la suite. Je savais très bien que toute cette histoire n'était que la préparation de son prochain tour.

— Bon! s'écria-t-il. Je vais vous montrer comment on s'en sort autrement.

Il avala les aiguilles! Puis il coinça le fil entre ses dents et le mastiqua, comme s'il s'agissait d'un vulgaire spaghetti.

— Ça doit faire mal! chuchota Marion d'un ton angoissé.

J'acquiesçai sans rien dire, fasciné. Un silence de plomb régnait dans la salle. Tout le monde était totalement subjugué.

Le magicien s'arrêta de mâcher et ouvrit la

bouche. Lentement, très lentement, il tira le fil, sur lequel brillaient… les aiguilles! Il les avait enfilées avec sa langue!

Ébahis, les spectateurs applaudirent, d'abord timidement, puis frénétiquement.

— Vous voyez, ce n'est pas sorcier! déclara Magik-O en saluant la salle.

Il faut que je sache comment il fait, me dis-je. *Je lui demanderai après le spectacle.*

Le magicien s'avança vers la table sur laquelle étaient posés le lapin et le vase de fleurs. Il attrapa le carré de soie rouge qui la recouvrait et l'enleva d'un coup sec. Le vase ne bougea pas d'un millimètre et l'animal cligna simplement des paupières.

Magik-O enveloppa sa main gauche avec le tissu, qu'il retira ensuite. Un gros réveil rouge était posé dans sa paume!

— Nous avons encore le temps de faire quelques tours, dit-il en regardant l'heure.

Il replaça le tissu sur le réveil… qui disparut. À cet instant, une sonnerie retentit. Le réveil se déplaçait tout seul à l'autre bout de la scène! Le magicien l'attrapa et arrêta le mécanisme.

— Il avance, plaisanta-t-il.

Je n'ai jamais rien vu d'aussi fabuleux!

pensai-je, émerveillé.

La suite fut tout aussi palpitante. Magik-O sortit d'un coffre-fort fermé à clé. Grâce à quelques coups de baguette frappés sur un mur en briques, il passa à travers. Puis, dans un nuage de fumée, il transforma son veston noir en veston jaune!

— Et voici enfin mon tour préféré, annonça-t-il. Y a-t-il un volontaire?

Il balaya du regard le public, qui se taisait.

— Tim! Il demande un volontaire, chuchota Marion en me donnant un coup de coude. Tu as oublié ce qu'il t'a dit au début?

J'étais tellement concentré sur ses exploits que ça m'était sorti de la tête.

— J'aimerais bien essayer, dis-je en me levant.

— Parfait, jeune homme, dit Magik-O en souriant. Monte sur la scène, s'il te plaît.

Mon estomac était noué et mes jambes s'entrechoquaient. J'étais terrorisé.

Et voilà, pensai-je, *je vais disparaître. Pourvu que tout se passe bien!*

9

C'était tout à fait incroyable! J'avais été choisi pour participer à l'un des tours les plus extraordinaires de mon idole! Je n'en revenais pas.

Mais pourquoi avais-je donc si peur? Mon estomac était aussi serré que si je devais passer un examen important.

— Merci de te porter volontaire, jeune homme, me dit le magicien. Tu dois être extrêmement courageux. Tes parents sont-ils ici?

— Mes parents... euh, ils sont là, réussis-je à articuler. Mais ils sont sortis... euh... téléphoner.

— Téléphoner? s'exclama Magik-O. En plein milieu de ma représentation?

— Euh, oui... c'était... c'était très urgent, expliquai-je, de plus en plus confus.

— Tant mieux, dit-il enfin. Je suis content qu'ils ne te voient pas dans cette situation délicate. Sinon ils pourraient bien essayer de m'arrêter.

— De… de vous… vous arrêter? bredouillai-je, la gorge soudain sèche.

Il n'entendit pas ma question, tellement les gens riaient.

Ne t'en fais pas, me rassurai-je. *Ça fait partie du numéro. Il plaisante.*

Je m'efforçai de rire comme les autres.

— Et que… que va-t-il m'arriver?

— Je vais te faire disparaître, répondit tranquillement Magik-O. Tu vas être transporté dans une autre dimension et je ferai tout mon possible pour te ramener… Mais cela ne marche pas à tous les coups.

— Comment ça?

— Ne t'inquiète pas! dit-il en me tapotant gentiment le dos. J'ai fait ce numéro des centaines de fois. Et je n'ai échoué qu'à deux ou trois reprises!

Les spectateurs étaient pliés en deux.

— Est-ce ta petite sœur qui est assise au premier rang? me demanda-t-il.

J'acquiesçai.

— Dis-lui au revoir, au cas où…

Marion sourit en me faisant un signe de la

main. C'était certain, elle espérait que je ne reviendrais plus jamais!

Magik-O me conduisit ensuite au centre de la scène, là où était posé le grand coffre noir.

— Grimpe là-dedans, s'il te plaît, me dit-il en ouvrant la porte.

J'obéis et Magik-O la referma derrière moi.

Il y faisait noir comme dans un four. Immobile, j'attendis qu'un événement se produise. J'entendis le magicien déclarer aux spectateurs :

— Mesdames et messieurs, ce coffre est une de mes inventions. Je l'ai appelé la « Toupie de la cinquième dimension ». Voici comment elle fonctionne. Mon courageux volontaire y est entré et je l'ai enfermé. Je vais ensuite faire tourner ce coffre très vite sur lui-même, dix fois de suite. La force magique qui se trouve à l'intérieur va expédier ce jeune homme dans une autre dimension. Ce numéro exige un silence total, car j'ai besoin de me concentrer.

Un calme impressionnant suivit ses paroles. Je commençais à trouver le temps long lorsque le coffre se mit à tourner à une vitesse folle.

Je sentis mon corps se coller à la paroi. Jamais aucun manège ne m'avait procuré une sensation pareille. Je fermai les yeux, essayant très fort de maîtriser mon vertige.

J'espère que je ne vais pas vomir, pensai-je.

Et je tournais… tournais encore.

Et si Magik-O m'envoyait vraiment dans une autre dimension? me demandai-je.

Pour me rassurer, je me dis qu'au fond, tout cela n'était fait que pour amuser les spectateurs.

Mais était-ce si sûr?

Le coffre tournait de plus en plus vite. Des étoiles se mirent à danser devant mes yeux.

Quand cela allait-il s'arrêter? Soudain, le sol s'ouvrit sous mes pieds.

— Au secours! hurlai-je.

Je me retrouvai soudain sur une glissoire de bois qui n'en finissait pas. *Paf!* Je finis par atterrir sur une sorte de matelas.

Je restai allongé sur le dos, étourdi. De l'eau dégoulinait à un rythme régulier non loin de moi. Une ampoule nue, accrochée à un mur verdâtre, diffusait une lumière pâle.

Je réussis tant bien que mal à m'asseoir et inspectai les lieux. La pièce était presque vide, sombre et humide, avec un plancher de ciment. Dans un coin se trouvait une fournaise.

Je suis probablement dans le sous-sol du Manoir Maxime, me dis-je.

Je me levai lentement et compris comment
le tour fonctionnait en regardant de plus près
l'ouverture par laquelle j'étais passé. Magik-O
installait son coffre sur une trappe pratiquée
dans le plancher de la scène. Le fond de ce coffre
s'ouvrait et le volontaire glissait sur une glissoire
pour se retrouver dans cet endroit lugubre. Voilà
de quelle manière le brave candidat s'envolait
dans la cinquième dimension!

Mais une question me tracassait : comment
allais-je remonter? Comment le magicien allait-il
me faire revenir?

Des applaudissements assourdis parvinrent
jusqu'à moi. J'entendis au loin la voix de
Magik-O :

— Merci beaucoup, mesdames et messieurs.
Il faut que je m'en aille maintenant. Je dois
disparaître à mon tour dans la cinquième
dimension et y retrouver ce jeune garçon!
Bonne nuit à vous tous!

À ces mots, le public éclata de rire. Puis il y
eut de la musique accompagnée d'un tonnerre
d'applaudissements. *Magik-O a dû se volatiliser,*
pensai-je. *Il va probablement descendre cette
glissoire d'une seconde à l'autre.*

J'attendis, mais personne ne vint. Ni par la

glissoire, ni par un autre endroit!

Il ne va pas tarder à venir me sortir d'ici, me rassurai-je. *J'en profiterai pour lui demander des explications sur le tour du réveil. Il va peut-être accepter de me signer un autographe!*

Une minute plus tard, je perçus le bruit de chaises raclant le plancher et des pas au-dessus de ma tête. Le spectacle était réellement terminé; les gens quittaient la salle.

Est-ce que quelqu'un allait enfin venir me chercher? Je commençais à être nerveux. De nouveau assis sur le matelas, je ne pouvais rien faire d'autre que prendre mon mal en patience.

Qu'est-ce qui le retient? m'étonnai-je. *Il veut sans doute attendre que tout le monde soit parti afin que personne ne connaisse son secret? Oui, ce doit être ça!*

Soudain, j'entendis un grattement.

— Un rat! m'exclamai-je avec horreur en me relevant précipitamment.

Je scrutai les alentours à la recherche du rongeur. Mais le bruit cessa.

Ce n'était peut-être pas un rat! me raisonnai-je pour me calmer.

Mes muscles étaient tendus comme la corde d'un arc. Ce devait être une petite souris de rien du tout... ou un mulot... ou tout simplement le fruit de mon imagination!

Mais où était donc Magik-O? Quand allait-il me libérer?

L'oreille à l'affût, je guettais le moindre signe de vie. À part le bruit obsédant des gouttes d'eau, le silence était total.

— Bon, dis-je tout haut. Tout le monde est parti. Vous pouvez me laisser sortir, monsieur Magik-O.

Et s'il avait quitté le théâtre, lui aussi?

Je commençais à paniquer. Et s'il m'avait oublié, abandonné ici? Dans ce cas, il fallait que je trouve une solution pour m'échapper.

Je me mis à parcourir le sous-sol, en prenant soin de m'assurer qu'il n'y avait aucune bête sous mes pieds. Mais il faisait tellement sombre! Je passai près d'un grand évier en pierre. Le bruit de l'eau qui s'égouttait provenait de là. De l'autre côté, un escalier conduisait à ce qui semblait être une porte.

— Ah! fis-je, soulagé. Voilà enfin une issue!

Je grimpai les marches branlantes et tournai la poignée.

La porte résista. Je recommençai, sans succès. Elle était fermée à clé.

J'appuyai tout mon corps contre le battant.

— Laissez-moi sortir d'ici! criai-je en frappant avec mes deux poings. Vous m'entendez? Laissez-moi sortir!

— Hé! hurlais-je. Sortez-moi d'ici! Je vous en supplie!

Comment Magik-O a-t-il pu m'oublier? me dis-je, furieux. *M'aurait-il enfermé exprès? Non, c'est impossible, pourquoi l'aurait-il fait?* Tout cela n'était qu'une terrible erreur.

Je secouai vigoureusement la poignée et la porte s'entrouvrit. Elle était fermée de l'extérieur par un crochet métallique, et ce crochet n'était pas solide.

Je parie que je peux l'arracher, pensai-je.

Je descendis quelques marches pour prendre mon élan, puis je les remontai en courant. Je me jetai contre le battant de tout mon poids.

Il bougea à peine, mais maintenant j'avais très mal à l'épaule.

C'est alors qu'une idée saugrenue traversa mon esprit : je me surpris à souhaiter la présence

de Marion! D'un coup de karaté, elle se serait
frayée un chemin. Elle était déjà entrée dans
ma chambre de cette façon.

D'ailleurs, où était-elle? Elle devait m'attendre
devant nos vélos.

— Il faut que j'y arrive! m'écriai-je en frappant
encore la porte.

Paf! Le crochet céda enfin.

Génial! Même si mon épaule me faisait
souffrir, j'étais enfin libre.

Devant moi s'étirait un long couloir sombre.

— Il y a quelqu'un? appelai-je.

Je n'obtins aucune réponse.

Où étaient passés les machinistes, les
techniciens, tous ceux qui s'occupent du théâtre?

J'avançai à pas de loup. Tout semblait désert.
Comment avaient-ils pu me laisser seul au sous-
sol et retourner chez eux?

Soudain, je remarquai un rayon de lumière
sous une porte. Quelqu'un était encore là! C'était
peut-être Magik-O!

J'avançai lentement dans le corridor, jusqu'à
la porte sur laquelle était dessinée une grosse
étoile d'un bleu métallique. C'était sa loge!
J'étais seul dans cette bâtisse avec mon idole!

Nous allions parler de magie, partager des secrets…

J'étais tellement excité que mes mains en tremblaient. Je lui pardonnais même de m'avoir abandonné dans ce sous-sol.

De toute façon, c'était sûrement une erreur. Un assistant avait sans aucun doute oublié de descendre me délivrer. Magik-O avait dû se dire qu'on était venu me chercher et que tout allait bien. Il allait certainement être très content de me voir!

Que devais-je faire? L'appeler? Non, je décidai plutôt de frapper à la porte.

J'allais avancer lorsque mon pied buta contre un objet. C'était une grande mallette noire, sur laquelle était écrit : PROPRIÉTÉ DE MAGIK-O.

Incroyable! Je passai mes doigts sur les lettres dorées. C'était sa trousse magique. Quelle soirée!

Je levai une main et frappai doucement à la porte. Aucune réaction.

Il n'avait peut-être pas entendu? Je frappai un peu plus fort.

Toujours aucune réponse.

— Il y a quelqu'un? demandai-je en passant la tête dans l'embrasure de la porte.

Assis sur le divan, le lapin blanc de Magik-O

faisait face à son maître installé sur une chaise et dont je ne voyais que les jambes.

— Bonsoir, fis-je. Je suis… le volontaire que vous avez fait disparaître. Je peux entrer?

Mais Magik-O ne bougea pas. Soudain, la porte me claqua au nez!

— Hé! criai-je, surpris.

Une voix mauvaise grogna.

— Va-t'en!

— Mais… je suis votre admirateur le plus fidèle! Je voudrais juste vous serrer la main!

— File! hurla la voix. Et que je ne te revoie plus jamais, petit vaurien!

12

Vaurien? Avais-je bien entendu?

Toujours debout devant la porte, je n'en croyais pas mes oreilles. Comment pouvait-il me parler ainsi? Après que j'avais accepté de lui servir de volontaire. Après qu'il m'avait laissé dans ce sous-sol... Qu'est-ce qui lui prenait?

Je restai paralysé, incapable de penser. Le grand Magik-O, mon héros, m'avait traité de vaurien! C'était peut-être le plus grand magicien, mais c'était aussi un grand idiot!

Soudain, mes yeux se portèrent sur la mallette noire qui se trouvait à mes pieds. La mallette magique de Magik-O!

Sans réfléchir, je la ramassai et me mis à courir. Bien qu'elle fût lourde et encombrante, je fonçai dans le couloir.

Qu'est-ce que je fabrique? me demandai-je en m'enfuyant.

En fait, c'était simple : j'étais en train de me venger. Je m'étais donné tant de mal pour venir à ce spectacle, et le magicien avait été si méchant...

Mais peu importaient les raisons de mon acte : je volais les précieuses affaires de Magik-O. Tout en me dépêchant, je me disais que j'allais au-devant de graves ennuis.

Je m'arrêtai pour souffler. Magik-O me poursuivait-il? Non! J'avalai ma salive et me remis à courir. Je réussis tant bien que mal à grimper par la glissoire et me retrouvai sur la scène.

Je descendis dans la salle vide et me dirigeai vers l'entrée. À mon grand étonnement, la porte était verrouillée de l'intérieur. Après l'avoir ouverte, je sortis à l'air libre et traversai le stationnement, jusqu'à mon vélo.

J'y suis presque, me dis-je, à bout de souffle. *Cette mallette est vraiment lourde! Il doit être très tard, il faut que je me dépêche de rentrer à la maison!*

Avec toutes les lumières éteintes, la bâtisse semblait encore plus sombre qu'au début de cette soirée.

Ma bicyclette était toujours là, attachée au

poteau. À peine avais-je posé mes mains sur le guidon, qu'une voix hurla :

— Arrête!

La peur me paralysa.

J'étais piégé! Comme un rat!

Des pas se dirigeaient vers moi sur le gravier.

Je suis pris en flagrant délit de vol, me dis-je.
On va me conduire à la police!

— Où étais-tu passé? me reprocha la voix.
Pourquoi pars-tu sans moi?

Marion! Ma petite sœur! Je l'avais oubliée!

— Pour... pourquoi? bredouillai-je.

Que pouvais-je répondre à une question
pareille? Lui avouer qu'elle m'était totalement
sortie de la tête? Non, c'était impossible.

— Je te cherchais, mentis-je. Où étais-tu?

— Moi aussi, je te cherchais. Qu'est-ce que
tu as fabriqué pendant tout ce temps? Tu as
disparu et...

— C'est une longue histoire, l'interrompis-je.

Elle se pencha sur la mallette que je tenais et
lus à voix haute l'inscription en lettres dorées qui
y figurait.

— « Propriété de Magik-O ». Où as-tu déniché ça?

— C'est lui-même qui me l'a donnée! C'est gentil, tu ne trouves pas?

— Qu'est-ce qu'il y a à l'intérieur? demanda Marion en voulant soulever le couvercle.

Je l'arrêtai d'un geste :

— Je te montrerai lorsque nous serons rentrés à la maison. C'est du matériel de magie. Il m'a dit de tout garder, pour me remercier de m'être porté volontaire.

— Alors, si Magik-O t'a vraiment donné cette mallette, qui sont ces gens qui ont l'air de t'en vouloir? dit-elle en tendant la main vers la vieille bâtisse.

Je me retournai précipitamment. Deux agents de sécurité traversaient le stationnement à toute vitesse, une lampe de poche à la main.

— Filons d'ici! m'écriai-je. Vite, monte sur ton vélo!

— Je ne peux pas, hurla Marion.

— Pourquoi?

— Ma bicyclette a disparu!

— Tant pis! criai-je en enfourchant mon vélo.
On se retrouve à la maison.

— Tim, gémit Marion, tu ne peux pas me
laisser comme ça!

Elle avait raison! Et même si je la savais
capable de se débrouiller toute seule, mon père et
ma mère ne me pardonneraient jamais de l'avoir
abandonnée. De plus, si les agents de sécurité
l'attrapaient, elle allait me dénoncer et j'aurais
de gros ennuis.

Il fallait que je me décide rapidement.
Soudain, un peu plus loin, j'aperçus son vélo.

— Elle est là, ta bicyclette, dis-je en pointant
mon doigt sur un poteau. Dépêche-toi!

Elle s'élança vers son vélo. J'essayai d'installer
la mallette sur mon guidon. C'était loin d'être
facile! Enfin, j'y parvins.

— Arrêtez! hurla l'un des agents.

Marion et moi pédalâmes de toutes nos forces.

— Arrêtez!

Nous fonçâmes dans la rue obscure.

Au bout de cinq cents mètres, je pris le risque de me retourner. Nos poursuivants avaient renoncé. L'un d'eux était même plié en deux, essoufflé.

— Ils ne nous rattraperont plus maintenant! s'écria Marion.

Pourtant, nous roulâmes d'une traite jusqu'à la maison. Les avenues étaient sombres et vides. Il n'y avait pas une lumière, pas un bruit.

Il doit être plus de minuit! me dis-je. *Pourvu que papa et maman dorment toujours! S'ils nous surprennent, ils vont nous priver de sorties jusqu'à notre majorité!*

Arrivés à notre entrée, nous continuâmes à pied. Nous rangeâmes nos vélos dans le garage. L'obscurité ne nous rendit pas la tâche facile. Marion trébucha sur la tondeuse à gazon.

— Aïe! s'écria-t-elle.

— Tais-toi!

Nous restâmes immobiles quelques instants. Nos parents l'avaient-ils entendue?

— Je pense que ça va! murmurai-je.

— Ça fait mal, se plaignit Marion.

— Veux-tu te taire?

Nous entrâmes dans la maison sur la pointe des pieds.

— Je vais cacher la mallette dans ma chambre, chuchotai-je.

— Si on regardait ce qu'il y a dedans? proposa Marion.

— Il n'en est pas question!

— Il faut que tu partages le contenu avec moi!

— C'est à moi que Magik-O l'a donnée, insistai-je, bien que ce fût un mensonge.

— Je vais tout rapporter à papa et à maman, me menaça Marion. Je leur raconterai que tu m'as réveillée et que tu m'as obligée à t'accompagner au Manoir Maxime.

— Petite peste! Bon, d'accord! cédai-je.

— Promis?

— Oui, à condition que tu me jures de te taire!

— Je le jure. Mais tu ne peux pas garder la mallette dans ta chambre puisqu'elle est à nous deux.

Cette conversation commençait à m'énerver sérieusement

— Tout ce que tu voudras, finis-je par dire. Je vais la monter au grenier.

— Nous l'ouvrirons ensemble samedi.

— D'accord, acceptai-je, content de me débarrasser d'elle. Maintenant, allons nous coucher.

Nous montâmes l'escalier avec précaution, attentifs au moindre bruit.

— Tout va bien, murmura Marion lorsque nous fûmes au premier. J'entends papa ronfler.

Elle se glissa dans sa chambre tandis que je filais au grenier. Je refermai doucement la porte derrière moi et allumai la lumière.

Où vais-je la cacher? me demandai-je. *Ah! Ce vieux coffre à jouets devrait faire l'affaire!*

Tandis que je portais la mallette, l'envie de l'ouvrir et de fouiller dedans devint irrésistible.

Comment vais-je faire pour patienter jusqu'à samedi? Et si je jetais un petit coup d'œil maintenant? Rien qu'un petit coup d'œil, et après j'irai me coucher.

Je posai la mallette par terre, les mains tremblantes. J'entrepris d'ouvrir la serrure, qui ne semblait pas vouloir céder.

Enfin, je réussis à la forcer! Mais mon enthousiasme fut de courte durée.

Le souffle d'une explosion m'atteignit en plein visage.

15

Je tombai à la renverse et restai étendu sur le sol, les mains plaquées sur la figure.

Qu'était-il arrivé? Étais-je blessé? J'ouvris les yeux.

Non, apparemment j'étais indemne.

Je m'assis pour examiner la mallette, qui gisait sur le plancher, ouverte. Elle ne présentait aucune trace d'explosion.

En inspectant le couvercle avec d'infinies précautions, je remarquai un petit disque en métal fixé dans la doublure. Lorsque je le tapotai du bout de ma chaussure, un grognement en sortit. C'était une sorte de puce électronique. Je compris qu'elle imitait le bruit de tonnerre quand on cherchait à ouvrir cette mallette.

J'avais envie d'en savoir plus. Je me mis donc à fouiller fébrilement et sortis un tas d'objets bizarres : une paire de menottes truquées, une montre de poche pour hypnotiser les gens, trois jeux de cartes différents, une corde et des kilomètres de foulards en soie noués les uns aux autres.

J'eus envie de tester ces gadgets, mais je me résolus à attendre samedi.

En plus de tous ces objets étonnants, je trouvai un petit sac noir qui contenait trois gobelets ovales et une petite balle rouge. Le jeu des coupes! L'un de mes préférés! On cache la balle sous une coupe et les spectateurs doivent deviner sous laquelle des trois elle se trouve.

Ils se trompent à chaque fois, car le magicien la cache dans une de ses mains.

Je continuai à fouiller. Mes doigts frôlèrent un tissu doux. Un veston en soie noire!

L'habit de Magik-O. Il faut absolument que je l'essaie, me dis-je.

Je l'enfilai, mais il était évidemment trop grand. Les épaulettes tombaient sur mes coudes. Les manches couvraient mes mains.

Mais je me sentais si bien dans ce costume!

Je me mis à marcher de long en large dans le grenier. J'avais vraiment l'allure d'un magicien!

Machinalement, je regardai ce que contenaient les poches. Soudain, je sentis quelque chose remuer dans mon dos, puis dans mon cou…

Je secouai vite les épaules. La sensation désagréable cessa… et reprit de plus belle deux secondes plus tard. Une forme glissa le long d'une manche.

Qu'est-ce que ça peut être? me demandai-je en secouant le bras.

Il fallait que je me débarrasse de ce veston. Et vite! Je voulus enlever mon bras de la manche.

Trop tard! Une tête affreuse surgit près de ma main…

La tête d'un serpent!

16

Horrifié, je serrai les dents pour étouffer mon cri. Le serpent remuait contre mon bras. J'eus beau m'agiter dans tous les sens, il ne me lâchait pas. Rien à faire!

Soudain, il se déroula, glissa hors de ma manche et atterrit sur le plancher. Il siffla et s'enroula autour du vieux coffre à jouets. Je le regardai en frissonnant. Mais ce n'était pas terminé! Le cauchemar recommença. Glissant sur moi, une créature siffla à mon oreille et frôla mon épaule.

— Non! criai-je.

C'était encore un serpent! Je le frappai de la main, essayant de le faire tomber.

Tout à coup, un autre descendit à l'intérieur de ma manche. Puis encore un sur mon ventre, qui rampa vers mon dos. C'était répugnant.

Un dernier surgit d'une poche intérieure et

tomba sur le parquet. Il entreprit aussitôt de s'enrouler autour de ma jambe.

Ce veston est infesté de reptiles, me dis-je. *C'est épouvantable!*

Affolé, je me trémoussais dans tous les sens. J'étais couvert de serpents des pieds à la tête!

J'avais envie de hurler, mais je ne devais surtout pas réveiller mes parents. Il n'y avait qu'une solution : essayer d'enlever ce veston à tout prix.

— Au secours! chuchotai-je. Au secours!

Il y en avait partout!

D'une main tremblante, j'en attrapai un qui me glissait sur la tête et je le jetai le plus loin possible de moi.

Au prix d'efforts incroyables, je parvins enfin à retirer le veston, que je lançai sur le plancher. Des serpents s'en échappèrent encore, rampant de tous côtés. Je bondissais comme un kangourou pour les éviter. J'atteignis ainsi une chaise, sur laquelle je grimpai. Un reptile s'entortilla autour de l'un de ses pieds et se mit à monter…

— Va-t'en! murmurai-je. Laisse-moi tranquille!

Il me répondit par un sifflement sinistre. Je sautai de mon perchoir.

Scouiche! Mon cœur cessa de battre. Avais-je marché sur une de ces sales bêtes?

Je baissai la tête. J'avais seulement écrasé une vieille poupée de Marion. Entre-temps, un serpent monta le long de mon bas.

Je n'avais plus le choix : il fallait que je réveille mes parents. *Je vais peut-être avoir des problèmes, mais je vais sortir de ce cauchemar!*

Je sautillai parmi mes agresseurs grouillants. C'était affreux!

L'un d'eux s'élança vers moi... mais arrêta net, paralysé. Le grenier devint soudain silencieux : les sifflements avaient cessé!

Les ignobles créatures avaient arrêté de bouger. Elles s'étaient brusquement immobilisées sur le plancher. Leurs yeux de glace fixaient le vide. Qu'était-il arrivé? Étaient-elles mortes?

Je regardai autour de moi, paniqué à l'idée de faire le moindre geste qui aurait pu les réveiller. Le sol était recouvert de longs corps inertes. Comment pouvaient-ils être tous morts? C'était tellement étrange!

Mes yeux firent rapidement le tour de la pièce. J'étendis lentement une jambe et poussai du pied un serpent. Il bougea à peine.

Prenant mon courage à deux mains, je me penchai et le touchai légèrement. Rien ne se passa. Mon cœur battait à tout rompre.

Bien que dégoûté, je finis par le ramasser.

Il était tout flasque et n'avait pas l'air réel. Lorsque je le retournai, je trouvai un minuscule remontoir. Le monstre était en caoutchouc! Et les yeux étaient en verre!

J'avais été attaqué par de vulgaires serpents mécaniques! La veste de Magik-O en était remplie.

Quand vais-je enfin comprendre que c'est de l'illusion? Magik-O est un magicien!

Je ramassai tranquillement les serpents et les replaçai dans les poches du veston. Puis je roulai le tout et le remis dans la mallette.

C'est fabuleux! pensai-je en m'efforçant de la refermer correctement. *J'ai devant les yeux les meilleurs accessoires de magie qui existent au monde!*

Il valait mieux que j'arrête de manipuler ces objets avant d'être victime d'un accident. J'aurais tout le temps de les expérimenter samedi! Il me suffirait ensuite de tout rapporter à Magik-O dès le lundi.

Car j'avais bien l'intention de lui rendre sa mallette. J'avais quand même commis un vol!

Si seulement cet homme n'avait pas été aussi cruel! Il s'était servi de moi pour son numéro. Il m'avait enfermé au sous-sol. Il m'avait ordonné de déguerpir, m'avait traité de petit vaurien.

Je sentis la colère monter. Non, Magik-O ne méritait pas que je lui rende ses affaires!

Pourtant, ma conscience me disait que je devais le faire. J'allais d'abord jouer un peu avec ses accessoires, puis je les rapporterais.

Bien sûr, je n'avais aucune idée, à ce moment-là, du danger que je courais en les gardant dans ce grenier.

Si j'avais su, j'aurais remis la mallette à son propriétaire cette nuit-là!

18

— Encore une nouvelle journée de travail! soupira ma mère le lendemain matin, au déjeuner. Je n'en peux plus! Ces élèves me rendront folle!

— En plus, il pleut, ajouta mon père, d'un ton las. Je ne vendrai pas une voiture!

Marion et moi échangeâmes un regard complice. Visiblement, nos parents ne se doutaient pas de notre escapade nocturne.

Rassuré, j'attaquai mes céréales.

— Vous avez l'air fatigué, les enfants, fit remarquer ma mère.

— Vous avez bien dormi? demanda mon père.

— Bien sûr, répondis-je.

— Pas beaucoup, dit Marion en ricanant. Tim et moi... on a un secret!

Quelle peste! Je lui envoyai un coup de pied sous la table.

— Aïe! cria-t-elle. Tim m'a donné un coup de pied.

— N'embête pas ta sœur! me sermonna mon père en se levant. Bon, j'y vais! À ce soir, les enfants.

— As-tu parlé d'un secret, Marion? demanda ma mère.

— Non, mentis-je. Elle a dit : « Tim et moi, on va s'amuser. »

— Ah oui?

— Oui, on va s'amuser à faire une recherche, répétai-je.

— Ce n'est pas vrai! protesta ma sœur.

— Mais de quoi parlez-vous? s'écria ma mère en transportant une pile de bols jusqu'au comptoir.

— On a mal agi, commença Marion. Aïe!

Je venais de lui envoyer un autre coup de pied sous la table. Mais elle continua :

— On est sortis hier soir. On a roulé à bicyclette jusqu'au Manoir Maxime pour assister au spectacle de Magik-O. On est revenus après minuit. Je te demande pardon. Tim m'a entraînée. Je ne voulais pas y aller, moi.

Pourquoi Marion avait-elle une langue? J'étais perdu!

— Qu'est-ce que tu as dit, Marion? demanda ma mère. L'eau coulait et je n'ai rien compris.

Je poussai un soupir de soulagement. Quelle chance!

— Rien, murmura ma sœur lorsque je lui envoyai un autre coup de pied.

— Alors, préparez-vous vite pour l'école.

Je quittai ma chaise d'un bond et entraînai Marion.

— Ne t'en fais pas, nous serons prêts dans une minute, promis-je.

Dès que nous fûmes dans le couloir, j'éclatai :

— Tu es tombée sur la tête ou quoi? Tu te rends compte du pétrin dans lequel tu aurais pu nous mettre?

— C'est toi qui aurais été ennuyé, pas moi! rétorqua Marion. C'est toi l'aîné, et c'est toi qui m'as entraînée!

— Je ne t'ai forcée à rien du tout. En plus, tu m'avais juré de te taire!

— Et toi, tu m'avais juré de ne pas fouiller dans la mallette avant samedi, me rappela-t-elle. Je suis allée dans le grenier ce matin et je sais que tu as regardé dedans. Tu as joué avec des accessoires!

— Moi? Jamais!

— Menteur! Pourquoi une des manches du veston dépassait-elle de la mallette? J'ai même trouvé un foulard par terre!

— Et alors?

— Tu m'avais promis! répéta Marion en me pinçant le nez.

Il n'y avait pas moyen de la raisonner. C'est une vraie tête de mule.

Elle me rendra fou! pensai-je, furieux. *J'aimerais tellement me venger. Trouver un moyen de lui faire payer ce que j'endure.*

C'est alors qu'une idée géniale me traversa l'esprit.

20

— Vous êtes certains de ne pas vouloir nous accompagner au Salon des antiquaires? nous demanda mon père.

— Tout à fait certains, répondis-je.

J'avais hâte que nos parents partent, car nous étions samedi! La mallette noire de Magik-O m'obsédait. Je n'avais qu'une envie : me servir de son contenu!

— Bon, fit ma mère en nous embrassant. Nous serons de retour vers huit heures et demie.

— Soyez sages, ajouta mon père.

— Surtout, ne vous chamaillez pas, prévint ma mère en faisant les gros yeux. À plus tard!

Ah! enfin! Dès qu'ils furent partis, je courus téléphoner à Fred.

— Ça y est, tu peux venir. Dépêche-toi!

La veille, quand je lui avais tout raconté, il m'avait supplié de lui montrer les accessoires.

Dès qu'il arriva, nous montâmes au grenier. Voyant que Marion fonçait droit sur la mallette, je l'arrêtai dans son élan.

— Pousse-toi, cria-t-elle en prenant une position de karaté.

— Attends, ordonnai-je. Il y a des choses bizarres là-dedans.

— D'accord, mais n'oublie pas qu'on partage tout!

— Assoyez-vous ici, dis-je en tirant deux chaises. Préparez-vous à assister au spectacle de magie le plus extraordinaire de l'histoire de l'humanité.

J'approchai du coffre à jouets et en retirai la mallette, que je brandis devant eux.

— D'abord, commençai-je d'une voix très mystérieuse, regardez ce trésor.

Boum!

À peine avais-je soulevé le couvercle que la puce électronique émit son bruit d'explosion. Marion et Fred en tombèrent à la renverse.

— Qu'est-ce que c'est? s'écria mon ami.

— Ne vous inquiétez pas. Ce n'est qu'un effet sonore, expliquai-je.

— Tu n'es pas drôle! se plaignit Marion.

— Si vous voyiez vos têtes! m'exclamai-je.

Du sac noir, je sortis la balle rouge et les trois coupes, que je plaçai à l'envers sur une petite table.

— Vous voyez cette balle? dis-je en étendant ma main. Je vais la mettre sous une coupe.

Je fis semblant de la poser sous celle du milieu et la glissai furtivement dans ma manche. Puis je commençai à déplacer rapidement les coupes.

— Observez-les bien, conseillai-je à mes deux spectateurs.

Au bout de trente secondes, j'arrêtai de les manipuler et demandai :

— Sous quelle coupe se trouve la balle?

— Là, fit Marion en montrant celle de droite.

— En es-tu certaine? Et toi, Fred, où crois-tu qu'elle est?

— Sous celle que t'a montrée Marion. Je ne l'ai pas quittée des yeux.

— Si vous le dites! Je crois que vous vous trompez. Elle n'est pas plus sous celle-ci que sous une autre. Puisque je la sens... dans ma manche!

Pour montrer que je disais vrai, je soulevai la coupe et... il y avait une balle rouge identique à celle que j'avais cachée!

— Mais c'est impossible! m'écriai-je en faisant

glisser celle qui était dans ma manche. Attendez, je vais recommencer.

Je refis mon tour exactement de la même manière.

— Et voilà! dis-je. Où est-elle?

— Elle est sous ce gobelet, affirma Fred.

— Je suis d'accord, approuva Marion.

— Vous vous trompez encore, ricanai-je en soulevant celui qu'ils avaient indiqué.

Ça alors! Il y avait une troisième balle rouge.

— Quel génie! se moqua Marion.

C'était fou! Les deux autres coupes en cachaient aussi.

— Ça ne marche pas! m'exclamai-je, en colère.

Je recommençai mon numéro, et cette fois, il y avait trois balles sous chaque coupe!

— Ce n'est pas le tour que je connais, avouai-je, stupéfait.

— En tout cas, il est impressionnant, lança Marion. On ne sait même pas d'où ces balles arrivent!

Les coupes se mirent soudain à danser, expulsant dix... vingt... cinquante petites sphères rouges! Les balles recouvrirent la table et tombèrent, rebondissant sur le plancher.

— Il y en a de plus en plus, s'étonna Fred, tout pâle.

Elles envahissaient le grenier. En dix secondes, elles formèrent un tas qui montait jusqu'à nos genoux.

Comment pouvais-je arrêter cette invasion? En étais-je seulement capable?

21

Sans réfléchir, je m'emparai des coupes et les rangeai dans le sac noir. Je commençai aussitôt à le remplir de balles rouges. Immédiatement, elles cessèrent de se multiplier.

— Aidez-moi! criai-je à Marion et Fred.

Ils se mirent à genoux pour ramasser les balles. À trois, nous pûmes bourrer le sac en un temps record. Je le fermai ensuite avec le cordon pendant qu'il continuait de s'agiter.

— Ça suffit! ordonnai-je aux petites balles.

— Je n'ai pas très bien compris ce tour, dit Marion, encore sous le choc.

Il fallait que je lui change les idées, sans montrer combien j'étais moi-même impressionné. Je plongeai la main dans la mallette et pris le premier objet venu.

— Voici un autre tour, annonçai-je.

Je sortis un haut-de-forme aplati. Je le dépliai

et le mis sur ma tête.

— Ce n'est qu'un chapeau, grommela Fred. Il fait vraiment chaud ici! On devrait descendre à la cuisine pour boire quelque chose.

— Vous ne comprenez pas que c'est le matériel de Magik-O? protestai-je. Je ne sais peut-être pas m'en servir aussi bien que lui, mais quand j'aurai compris, nous monterons le spectacle le plus fantastique du monde et je deviendrai un magicien célèbre!

— Et moi, une célèbre sœur de magicien, déclara Marion en bâillant. Super!

— Ce chapeau te va très bien, affirma Fred. On peut boire maintenant?

— Moi, j'ai faim! ajouta Marion.

— Attendez!

Je venais de sentir quelque chose bouger sous le chapeau. Je le soulevai et...

— Une tourterelle! s'exclama Fred. Elle s'envole!

— Ça, c'est super! s'enthousiasma Marion, pour une fois sincère.

Comment allais-je faire pour remettre cet oiseau dans le haut-de-forme?

Un deuxième en sortit, m'empêchant de répondre à cette question.

Un troisième alla se poser sur une vieille lampe. Puis un quatrième, un cinquième…

Fred éclata de rire :

— Tes tours t'échappent complètement!

— Ce n'est pas drôle, grognai-je.

— Si on continue comme ça, on va avoir de sérieux problèmes, avertit Marion. Il faut trouver un moyen de nous débarrasser de ces oiseaux!

Le grenier fut bientôt rempli de tourterelles, qui n'en finissaient pas de sortir du chapeau. Je savais bien qu'il fallait agir… mais comment?

— Il y a peut-être un accessoire qui nous aidera! dis-je en fouillant dans la mallette.

Pendant ce temps, des dizaines de balles rouges jaillirent hors du sac noir.

— Voilà que ça recommence, marmonnai-je en retirant de la mallette un bâton noir à bout blanc.

La baguette magique!

— Pourvu que ça marche! m'exclamai-je.

— J'espère, dit Marion. Sinon, on sera obligés de s'enfuir de la maison.

— Ça va marcher! l'interrompis-je. Il le faut!

Le grenier était dans un état lamentable. Il y avait des tourterelles et des balles rouges dans tous les coins.

Je brandis la baguette :

— J'ordonne que ça s'arrête! Que tout s'arrête!

22

Ce fut un échec total!

Des tourterelles continuaient à jaillir du chapeau, et des balles rouges à bondir du sac noir.

— On dirait que la baguette magique est le seul accessoire inutile! plaisanta Fred.

— Taisez-vous, leur intimai-je. Il faut que je réfléchisse sérieusement.

— Au secours! s'écria Marion, toute pâle. Un... un serpent!

Son doigt tremblant indiquait la mallette, d'où un reptile s'échappait en rampant. Puis il y en eut un deuxième, et un troisième.

Revenus à la vie, les serpents mécaniques recouvrirent le plancher en un instant. Des plumes de tourterelles tombaient du plafond. Le grenier était dans un tel désordre qu'on distinguait à peine le mur du fond.

Marion poussa un cri d'horreur lorsqu'un serpent s'enroula autour de sa jambe.

— Sortons d'ici! hurla-t-elle.

Elle ouvrit la porte et se précipita dans l'escalier, suivie de Fred. Je m'emparai de la mallette. J'allais leur emboîter le pas lorsqu'un reptile voulut me rattraper.

— Reste là! ordonnai-je en le repoussant du pied dans le grenier.

Je verrouillai la porte derrière moi, dévalai les marches et courus jusqu'au jardin. L'air frais du mois de mars me cingla le visage. Marion et Fred m'attendaient.

— Des serpents! s'écria ma sœur en faisant la grimace. Tim, qu'est-ce qu'on va faire? Quand papa et maman verront l'état du grenier, on sera punis pour des années!

— Pourquoi as-tu emmené cette maudite valise? demanda Fred. C'est dangereux!

— Si on reste dehors, répondis-je, et que des tourterelles sortent de la mallette, elles n'auront qu'à s'envoler.

En fait, je n'en étais pas aussi sûr! Mais il fallait que je sache exactement tout ce que contenait la mallette de Magik-O avant de la lui rendre.

— Dépêche-toi alors, Tim, gémit Marion.

Quand j'ouvris la mallette, l'explosion nous fit sursauter, bien qu'elle fût moins forte que les précédentes. Était-ce à cause du vent?

Je saisis la baguette magique.

— À quoi peut-elle servir? me demandai-je tout haut.

Je la fis tourner lentement, en cherchant un nom de magicien qui me conviendrait.

— Le Grand Alfonso, Monsieur Terrifico… Pas si mal. Hé, Marion, sors de là!

Elle était en train de fouiller dans les accessoires.

— Super! fit-elle en brandissant une carotte. Ça tombe bien, j'ai faim!

— Remets-la!

— Mais elle est toute fraîche, protesta ma sœur. Miam!

Elle ouvrit la bouche, prête à la croquer.

— Marion… non! Ne mange pas ça! Peut-être…

Mais elle ne m'écoute jamais. Elle mordit dans le légume à pleines dents.

Un éclair de lumière blanche m'aveugla. Lorsque je pus voir de nouveau, je restai figé sur place. C'était extraordinaire!

23

La carotte tomba dans l'herbe du jardin. Les narines de Marion frétillèrent.

Ses cheveux blonds s'éclaircirent. Son nez devint tout rose. De la fourrure et de longues moustaches poussèrent sur son visage. Elle rapetissa, se couvrant d'un duvet blanc...

— Non! C'est... c'est impossible! bredouilla Fred. Ta sœur... devient un lapin!

Marion s'assit dans l'herbe en agitant ses longues oreilles. Elle me regarda en émettant de petits cris furieux.

— C'était un de mes vœux, laissai-je échapper, atterré. Et voilà qu'il s'est réalisé!

— Quoi? demanda Fred en me prenant par les épaules. Ressaisis-toi, voyons. Il faut faire quelque chose! Qu'est-ce qui va se passer quand tes parents vont rentrer?

— Je l'avais menacée de la transformer en

lapin, lui expliquai-je, toujours sous le choc. Et maintenant, Marion l'est vraiment!

Ma sœur se dressa sur ses pattes postérieures et se mit à gesticuler furieusement. Elle sauta tellement haut qu'elle heurta mon menton avec sa tête.

— Aïe! Je vois qu'elle n'a pas oublié son karaté, remarquai-je.

— Si on regardait dans la mallette? proposa Fred. Il y a peut-être un moyen d'inverser le sort.

— Oui, répondis-je machinalement, les yeux fixés sur le gazon. La carotte! Lorsque Marion en a mangé, elle s'est transformée. Mais si elle en mange en tant que lapin, elle redeviendra peut-être une fille!

— Tu crois? demanda Fred en secouant la tête.

— Il faut essayer. On n'a rien à perdre! Que peut-il lui arriver de pire?

Je plaçai le légume près du museau de Marion :

— Prends-en une autre bouchée, Marion!

Elle le regarda et tourna la tête avec dédain.

— Petite peste! hurlai-je. Tu veux que je me fasse punir à cause de toi? Tu veux rester dans cet état juste pour que j'aie des ennuis?

— Calme-toi, Tim, me conseilla Fred. Tu lui fais peur.

Les longues oreilles de Marion se dressèrent. Nous avions tous entendu la même chose. Une voiture arrivait!

— Vite! la suppliai-je. Papa et maman arrivent. Mange, et tu redeviendras la fille que tu étais.

Elle me considéra avec méfiance, renifla la carotte avec son petit nez rose.

— Dépêche-toi! insistai-je.

Elle ouvrit la bouche et croqua. Fred et moi étions paniqués.

— Il faut que ça marche! Il faut que ça marche! répétais-je. Il le faut!

24

Le nez de Marion se mit à frétiller. Ses oreilles se dressèrent… pour retomber aussitôt.

Rien! Il ne s'était rien passé. Ma sœur était toujours dans le même état.

— Les voilà! m'écriai-je. Fred, reste avec Marion. Si mes parents te demandent d'où vient ce lapin, dis que c'est celui de ta sœur.

Je courus vers l'allée menant à la maison. Une voiture la quittait en marche arrière. Ce n'étaient pas nos parents. Quelqu'un avait profité de l'entrée pour faire demi-tour.

Nous l'avions échappé belle!

Lorsque je rejoignis Fred, je le trouvai à quatre pattes, fouillant dans la mallette. Marion sautillait comme un kangourou autour de lui, visiblement impatiente.

La baguette magique traînait dans l'herbe.

— Elle va peut-être fonctionner, dis-je avec

espoir en la ramassant. Transforme ma sœur en fille!

Rien ne se passa.

— Il doit y avoir une formule, suggéra Fred.

— Oui, fis-je en la brandissant de nouveau. Baguette magique, petite baguette, transforme Marion en fillette!

Elle se mit à vibrer.

L'extrémité blanche éclata et un mouchoir en soie blanche surgit.

— Fantastique! s'exclama Fred.

Un tissu bleu suivit, puis un rouge et un jaune. Le vent les emporta avant que je puisse les ramasser.

Je me tournai vers ma sœur... ou plutôt vers le lapin.

— Rien à faire, lui annonçai-je tristement en jetant la baguette sur le gazon. Elle ne fabrique que de stupides mouchoirs.

Pour toute réponse, ma sœur essaya de me mordre la jambe.

— Arrête! lui ordonnai-je. Je veux simplement t'aider!

Elle agita son nez, prenant un air dégoûté. Même en lapin, Marion n'avait pas changé.

Il ne restait qu'une solution : la mallette. En

fouillant dedans, je remarquai un document qui dépassait de l'un des compartiments intérieurs. Je le dépliai fébrilement. En haut de la feuille était écrit : INSTRUCTIONS.

— Regardez! criai-je. Des instructions! Marion, je vais te rendre ton corps.

Je lus attentivement le texte.

— *Pour utiliser le haut-de-forme magique...*

Non, je n'avais pas besoin de ce genre de conseil.

— Dépêche-toi, Tim, s'impatienta Fred.

Je cherchai vite un paragraphe concernant les lapins.

— Voilà, j'y suis! *La carotte magique...*

C'est alors qu'un violent coup de vent vint m'arracher le papier des mains.

— Non! m'écriai-je.

Impuissant, je le regardais s'envoler... haut, très haut.

Hors de portée!

25

— Fred, attrape le papier! hurlai-je.

Le vent l'emportait au loin. Tandis que je courais, mon ami se lançait aussi à sa poursuite.

— Ça y est, je l'ai... cria-t-il.

Il plongea... mais une autre rafale l'empêcha de s'emparer des précieuses instructions. Mon ami tomba la tête la première dans l'herbe.

— Vas-y! me dit-il, exténué. Le papier se dirige vers le petit bois!

Le vent s'était calmé un instant, permettant à la feuille d'atterrir sur une plate-bande.

Je me précipitai sur le document. Mais la brise l'entraîna encore avant que j'aie pu l'atteindre. Quelle malchance!

— Là! m'indiqua alors Fred.

La feuille se dirigeait vers le petit ruisseau. Elle le survola un court instant, puis se posa délicatement sur l'eau boueuse.

— Vite, il faut la prendre, criai-je. Sinon le texte va s'effacer!

— Je l'ai, affirma Fred, accroupi au bord du fossé.

Mais le courant emporta le papier.

Il ne nous restait plus qu'à le suivre. Malgré nos efforts, il passa sous la haie des voisins et disparut!

Fred et moi, nous nous écroulâmes sur l'herbe, essoufflés.

— Et voilà! C'est fichu! me lamentai-je. Comment vais-je aider Marion?

— Ne panique pas, me conseilla Fred en m'aidant à me remettre debout. Ça ne sert à rien.

Nous retournâmes auprès de ma sœur. Peut-être avait-elle repris son apparence humaine? Non, elle était toujours un lapin.

Elle savait que nous n'avions pas trouvé les instructions. Elle sautillait partout furieusement!

— Elle est vraiment nerveuse, fit remarquer Fred.

— Ne t'inquiète pas, Marion, dis-je à ma sœur. Je vais t'amener chez Magik-O. On a largement le temps d'aller le voir avant son spectacle. Je suis certain qu'il acceptera de te changer en fille.

Elle me frappa le nez avec une de ses grandes oreilles. Elle ne pouvait pas me le pincer avec ses doigts, mais je voyais bien son intention!

— Ramassons tout, Fred, dis-je. Magik-O refusera de m'aider si je ne lui rends pas ce qui lui appartient!

Mon ami et moi rangeâmes soigneusement les accessoires dans la mallette. Fred monta sur mon vélo et la posa en équilibre sur le guidon. De mon côté, j'attrapai Marion par la peau du dos.

Malgré ses soubresauts furieux, je parvins à l'installer dans le panier de sa bicyclette. Si je ne réussissais pas à la transformer le plus tôt possible, j'allais au-devant de graves ennuis!

— En route pour le Manoir Maxime, lançai-je à Fred.

Le vent soufflait de plus en plus fort, nous obligeant à pédaler comme des forcenés.

Je traversai la ville en m'efforçant de ne penser à rien. Mais les paroles de Magik-O me revenaient sans cesse en mémoire : « File, petit vaurien! » Dans ces conditions, accepterait-il de m'aider?

Il le doit, pensai-je. *D'ailleurs, je vais l'y obliger. Il sera tellement content de retrouver ses affaires! Je ne les lui rendrai que lorsque Marion sera redevenue une fille.*

Arrivés au stationnement du bâtiment lugubre, nous nous arrêtâmes devant l'entrée principale.

— Calme-toi, dis-je à Marion en la prenant dans mes bras. Rappelle-toi que je fais tout ce que je peux pour t'aider. Ne me mords surtout pas!

En guise de réponse, elle retroussa ses babines et me montra ses dents de lapin.

— C'est ça, vas-y! Et tu verras comme c'est drôle de rester un lapin toute sa vie! Surtout lorsqu'on déteste la laitue!

Elle referma la bouche et remua le museau. Animal ou fille, elle restait une peste!

Nous montâmes les marches, angoissés. Les alentours du théâtre étaient curieusement déserts. Il n'y avait pas un seul agent de sécurité en vue.

Et sur la porte...

— Oh non! m'écriai-je, désespéré. Ce n'est pas vrai!

Une pancarte était suspendue à la poignée : « Fermé ».

26

— Ah non! fis-je en me frappant le front contre la porte.

— Cet endroit m'a toujours fait peur, m'avoua Fred en déposant la mallette par terre. On dirait le château de Dracula. Partons d'ici!

— Pas question! dis-je, mécontent.

Je serrais Marion dans mes bras, essayant de réfléchir :

— Bon, le théâtre est fermé, mais Magik-O, lui, est peut-être là, en train de répéter.

— C'est possible, commenta Fred. Mais j'en doute.

— Il faut prendre cette chance, nous n'avons pas le choix! dis-je en essayant d'ouvrir la porte.

Elle était solidement verrouillée. Bien sûr.

— Il y a sûrement une autre entrée quelque part, suggérai-je. Prends la mallette, Fred.

Je descendis les marches quatre à quatre et

courus de l'autre côté du théâtre.

Mon ami me suivit. La porte de derrière s'ouvrit facilement et nous nous glissâmes à l'intérieur du bâtiment.

Nous nous retrouvâmes dans la cuisine, une pièce étroite et bien entretenue, sans éclairage. Une petite fenêtre diffusait juste une vague lumière.

Fred s'arrêta devant un énorme réfrigérateur.

— Il doit y avoir toutes sortes de bonnes choses là-dedans, murmura-t-il. De la tarte au citron, peut-être, ou...

— Ce n'est pas le temps de manger, fis-je en lui tirant le bras. Viens!

Nous pénétrâmes ensuite dans un couloir sombre. Je n'eus pas de mal à le reconnaître : c'était celui que j'avais emprunté après m'être évadé du sous-sol, lorsque Magik-O m'avait abandonné.

— Il ne faudrait pas qu'il me refasse ce coup-là, marmonnai-je.

Nous avançâmes sur la pointe des pieds. Au fond du corridor se trouvait la loge du magicien. Par la porte entrouverte, on pouvait voir une pâle lumière.

C'est bon signe, pensai-je.

Tenant toujours Marion sous le bras, je m'approchai. *Pourvu qu'il soit là!* me répétais-je. *Il doit nous aider!*

Je m'arrêtai devant le seuil et pris une profonde inspiration.

— Monsieur Magik-O, vous êtes là?

27

Je n'obtins aucune réponse.

— Monsieur Magik-O, vous êtes là? répétai-je.

— Il n'y a personne, tu vois bien, dit Fred en posant la mallette près de l'entrée. Alors, allons-nous-en.

— Chut, tais-toi!

Je poussai la porte et entrai dans la loge sur la pointe des pieds. Posée sur la coiffeuse, une petite lampe éclairait faiblement la table. Le grand Magik-O était assis sur le divan, les yeux fixés sur le mur. De l'endroit où je me trouvais, je ne pouvais voir que son profil gauche.

— Monsieur Magik-O? demandai-je poliment. C'est encore moi, le garçon que vous avez fait disparaître pendant le spectacle.

Le magicien resta immobile et ne tourna même pas la tête. J'en conclus qu'il devait détester le monde entier, et surtout les enfants!

La réussite l'a sans doute rendu prétentieux, pensai-je. *Si un jour, j'ai le même succès, je jure de ne jamais devenir comme lui.*

Mais, pour l'instant, le problème n'était pas là. J'avais besoin de son aide, un point c'est tout. Il n'était pas question que je quitte le théâtre sans l'avoir obtenue.

— Monsieur Magik-O, insistai-je. Je m'excuse de vous déranger, mais j'ai absolument besoin de vous. C'est très important!

Il ne bougea pas d'un millimètre, les yeux toujours fixés sur le mur.

— Peut-être qu'il dort, me chuchota Fred à l'oreille.

Je m'approchai du divan :

— Je sais que vous m'aviez dit de filer, mais c'est une question de vie ou de mort. C'est pour ça que je suis revenu. Sans ça, je n'aurais jamais osé vous déranger.

Magik-O restait inerte et silencieux. Ce manque de réaction commençait à m'angoisser.

Fred, resté près de la porte, semblait prêt à s'enfuir. Je lui fis signe de me rejoindre. Il me fallait du renfort pour affronter cet homme impressionnant.

Je m'approchai du magicien et lui tapotai

légèrement l'épaule.

Il tomba sur le côté, comme une masse.

— Est-il... Est-il... bafouilla Fred.

Le corps du magicien était allongé sur le côté.

— Oh non! Il est mort, reprit Fred, le visage déformé par la terreur. Au secours!

— Il n'est pas mort du tout, dis-je. C'est une marionnette! Magik-O n'est rien d'autre qu'une grosse marionnette de bois!

28

Comment était-ce possible? Je n'arrivais pas à détacher les yeux de la poupée qui gisait sur le divan. Je ne pus résister à la tentation de lui toucher la joue. Puis j'essayai de la pincer, histoire d'être certain.

— On l'a pourtant vu à la télé, dit Fred. Ce n'était pas truqué!

— Moi, j'étais à côté de lui sur scène quand il m'a fait disparaître, et il était bien vivant.

Il y avait un mystère là-dessous. Même le plus grand magicien du monde ne peut pas se transformer en marionnette!

Fred se décida à l'examiner de près.

— C'est probablement une marionnette qu'il garde pour s'amuser. Le véritable Magik-O doit être ici quelque part!

Marion s'agita furieusement dans mes bras. J'essayai de la calmer en la flattant, mais elle grogna. Je n'avais jamais entendu de lapin grogner. Seul un lapin-Marion pouvait y arriver!

— Qu'est-ce qu'on fait, maintenant? demanda Fred.

— Je ne sais pas, répondis-je, désespéré. Marion ne pourra jamais reprendre sa forme humaine. Qu'est-ce que je vais dire à mes parents?

— Qu'elle s'est enfuie... De toute façon, ils ne voudront jamais croire qu'elle s'est transformée en lapin!

— Pourquoi aurait-elle fait une fugue? Elle adorait tellement qu'ils la chouchoutent. C'est plutôt *moi* qui devrais m'enfuir.

Fred souleva la tête de la marionnette et l'examina.

— Je me demande comment ça marche...

Soudain, une voix s'éleva derrière nous.

— Qu'est-ce que tu fais ici, petit vaurien? Je t'avais dit de filer.

— As-tu dit quelque chose, Fred? demandai-je, inquiet.

Il secoua la tête, les yeux agrandis par la peur.

— Sors d'ici, grogna la voix. Et plus vite que ça!

— C'est... c'est la marionnette qui a parlé? bredouillai-je.

— Je… ne pense pas, répondit Fred. On dirait
que ça vient du fond de la pièce.

— Les marionnettes ne parlent pas, idiot!
déclara la voix.

Je me retournai d'un coup. Le gros lapin de
Magik-O était assis tranquillement sur une
chaise, devant la coiffeuse.

— Allez, ouste! ordonna-t-il.

— Tim, chuchota Fred, tout pâle. C'est… c'est
le lapin…

— Bien sûr que c'est moi, répondit l'animal de
sa voix grave.

— Vous avez parlé?

— Je peux faire plein de choses. Je suis un
magicien!

Nous étions abasourdis. Même Marion semblait
ébahie.

— Mais… c'est impossible! affirma Fred. Vous
êtes un lapin.

Les oreilles de la bête tournèrent sur elles-
mêmes.

— Tu as trouvé ça tout seul? lança-t-il. C'est
vrai que j'ai *l'air* d'un lapin, mais la petite fille
aussi a l'air d'un lapin. Pas vrai?

— Vous avez raison, admit Fred.

— Je suis Magik-O! déclara le lapin. En

personne. C'est moi qui ai créé la marionnette à mon image… à mon ancienne image.

Je n'y comprenais plus rien.

— *Vous* êtes Magik-O? Comment en êtes-vous arrivé là?

Le lapin soupira.

— Cela remonte à bien longtemps, dit-il. Autrefois, j'avais un rival très puissant… un sorcier, en fait.

— Un vrai sorcier? demanda Fred, étonné. Ils existent?

— Ne m'interromps pas quand je parle! grogna le lapin. Tais-toi et écoute! Ce sorcier s'appelait Ellia. C'était un homme très puissant. Vous n'avez qu'à me regarder; je suis la preuve vivante de ses pouvoirs.

Il sauta de sa chaise, traversa la loge et s'installa sur le divan, près de la marionnette.

— À cette époque, poursuivit Magik-O, j'étais au sommet de ma gloire. J'étais le plus fameux magicien de la terre. Je passais dans toutes les bonnes émissions de télévision, j'avais des admirateurs par milliers. Des petits vauriens comme vous assistaient à tous mes spectacles.

— Pourquoi nous traitez-vous de vauriens? hasardai-je.

Il ne prêta aucune attention à ma question et poursuivit son récit :

— Ellia était jaloux de mes tours et de mon succès, alors que lui travaillait tout seul dans un sous-sol. Il savait très bien jeter des sorts, mais il était si laid et sa voix, si criarde que le public ne le prenait pas au sérieux. Il voulait être aussi célèbre que moi. Alors, il m'a transformé en lapin. Très drôle, hein? Un magicien transformé en lapin!

Fred et moi échangeâmes des regards surpris. Magik-O était vraiment étrange.

— Malheureusement, continua-t-il, je n'étais pas assez fort pour renverser le sort. Je suis un magicien, pas un sorcier. Mais je n'allais pas le laisser m'arrêter. J'ai donc fabriqué cette marionnette qui me ressemble. Ainsi, je peux me produire sur scène, comme avant.

— Si je comprends bien, c'est vous qui la commandez, osa encore intervenir Fred.

— C'est ce que j'ai dit, non? répondit Magik-O. Es-tu sourd?

— Vous savez que vous êtes vraiment impoli, Magik-O? dis-je.

J'en avais assez de ses insultes.

— Je n'ai jamais rencontré qui que ce soit...

ou plutôt quoi que ce soit d'aussi impoli!

Les longues oreilles de Magik-O tombèrent.

— Je m'excuse, dit-il. Ce n'est pas facile d'être un lapin. J'ai toujours fait en sorte de préserver mon secret. Si le public l'apprenait, je serais ruiné.

Marion se remit à bouger dans mes bras. Je l'avais presque oubliée, celle-là.

— Nous sommes dans un terrible pétrin, Magik-O, fis-je en lui montrant Marion. C'est ma sœur. Elle est devenue un lapin parce qu'elle a mangé une carotte qui était dans vos affaires...

— Alors c'est toi! s'écria-t-il. C'est toi qui as volé mes accessoires!

— Je... je les ai seulement empruntés, bredouillai-je. Mais nous les avons rapportés. Je suis désolé.

— Vraiment? demanda le lapin, l'air narquois.

— Pouvez-vous nous aider, Magik-O? le suppliai-je. Pouvez-vous nous aider à lui faire reprendre sa forme?

Magik-O examina Marion de ses petits yeux de lapin. J'étais inquiet, suspendu à ses lèvres.

Il s'installa confortablement sur le divan. Puis il secoua la tête.

— Désolé, mais je ne peux rien faire pour elle!

29

— Non! m'exclamai-je. Vous étiez ma dernière chance. Je suis perdu!

— Tu ne m'as pas laissé finir, dit le lapin magicien. Je ne peux rien faire pour elle, parce que ce n'est pas la peine. L'effet magique se dissipera tout seul.

— Super! dit Fred en levant le pouce en signe de victoire.

— Dans combien de temps? m'inquiétai-je. Mes parents vont revenir à la maison bientôt.

— Tout dépend du nombre de bouchées de carotte avalées. Combien en a-t-elle prises? demanda-t-il.

— Deux bouchées.

— Il y a longtemps?

— Une heure environ.

— Eh bien, elle redeviendra une petite fille dans une demi-heure.

Je soupirai de soulagement. Il s'en était fallu de peu.

— Hé! s'exclama Fred. Il faut ramener Marion à la maison avant qu'elle redevienne une fille. Nous n'aurions pas assez de vélos pour tout le monde.

Je plaçai Marion dans les bras de mon ami.

— Rentre chez nous avec elle. Je vous rejoindrai bientôt.

Je voulais parler un peu plus avec Magik-O.

— Ne sois pas trop long! me lança Fred en sortant précipitamment de la loge. Je ne veux pas être seul avec ta sœur quand elle reprendra sa forme. Elle va sûrement vouloir pratiquer son karaté sur quelqu'un.

Fred disparut dans le couloir avec Marion qui, déjà, lui frappait la poitrine de ses pattes arrière.

— Écoutez, Magik-O, dis-je en me tournant vers le magicien. Je suis vraiment désolé d'avoir pris votre mallette. C'était stupide de ma part.

— Pousse cette stupide marionnette et viens t'asseoir près de moi, ordonna Magik-O.

Je fis ce qu'il me demandait.

— Tu sembles réellement aimer les tours de magie, ajouta-t-il.

Mon cœur se mit à battre plus vite. C'était la

conversation que j'attendais, un dialogue de magicien à magicien.

— Oh oui! Je voudrais vraiment devenir un grand artiste comme vous! Je suis prêt à tout pour y arriver!

— C'est pour ça que tu as si bien réussi dans mon spectacle, l'autre soir. Tu as très bien disparu!

— Merci, répondis-je.

— Dis donc, est-ce que tu aimerais faire partie de mon équipe? lança-t-il après avoir réfléchi un instant. Cette marionnette est très lourde et ça me fatigue un peu, à mon âge.

— Qui? Moi? Pour de vrai? Vous voulez que je rejoigne votre troupe?

Mon cœur s'emballait... J'étais tellement excité que je me levai d'un bond. Puis je me rassis aussitôt.

— C'est sérieux, monsieur? Vous croyez vraiment que je peux le faire?

Magik-O sautilla jusqu'à la porte et la ferma d'un coup de patte.

— Essayons toujours, pour voir...

30

Et voilà comment je suis entré dans l'équipe de Magik-O. Seulement, lorsqu'il me l'a proposé, j'étais si excité que j'ai accepté sans réfléchir. J'aurais mieux fait de lui demander quelques précisions avant de me décider.

Oui, j'adore être sur scène et je raffole des applaudissements.

En revanche, j'aime moins qu'on me cache dans un haut-de-forme noir. Et je déteste que Magik-O me saisisse par les deux oreilles. Ça fait très mal!

Parfois, il oublie même de nettoyer ma cage plusieurs jours de suite!

En fait, j'avais mal compris lorsque Magik-O avait affirmé en avoir assez de travailler avec sa marionnette. J'avais cru que j'allais la remplacer.

En réalité, le magicien voulait que je le remplace, *lui*… dans le corps du lapin!

Mais je n'ai pas vraiment à me plaindre. Il me donne de bonnes laitues fraîches et toutes les carottes que je désire. J'ai même mon propre nom de scène : Lapino. C'est un peu ridicule, mais c'est un joli nom quand même.

Enfin, le principal, c'est que j'ai réalisé mon rêve. Je participe tous les soirs à un vrai spectacle. Combien d'enfants... euh, de lapins peuvent en dire autant? À douze ans!

J'ai de la chance, non?